「学力」の経済学

教育経済学者
中室 牧子
Makiko Nakamuro

携書版の発行に寄せて

『「学力」の経済学』の初版は2015年に発行されました。それから9年が経過し、教育経済学の研究は、飛躍的な進歩を遂げました。当然、世に出た新しい研究は数え切れません。しかし、本書の中で紹介した様々な研究は、その後の研究の針路となった優れた研究であり、未だに高い評価を受けているものが多いことは、素直に喜ばねばなりません。

加えて、当時はまだほとんど世の中に知られることのなかった「エビデンス」という言葉も、最近では広く用いられるようになってきました。最近では、総理大臣の所信表明演説やテレビのコマーシャルにまで登場するほどです。

しかし、私がこの9年間で一番嬉しかったことは、子育て中のお父さんやお母さん、学校や塾の先生から「読みましたよ」と言って、様々なご感想を頂けたことでした。

教育経済学の研究が、多くの人のお役に立てたなら、私だけでなく多くの経済学者にとって励みになることは間違いありません。
今回の携書版が多くの方の手に渡り、引き続き、お役に立てることを願って。

中室牧子

２０２４年６月吉日

※本書は２０１５年に弊社より刊行された『「学力」の経済学』を携書化したもので、内容は刊行当時のものです。

はじめに――データが覆す教育の「定石」

最初にお断りしておきたいのですが、著者である私自身に子どもはいませんし、大学で経済学を教えていますが、教員となってからの月日も浅く、恥ずかしながらこれといった教育哲学もありません。

ところが、そんな私に、子を持つ親である友人や学校の先生、ときには教育委員会の関係者からさまざまな相談が持ち込まれます。たとえば、子を持つ親である友人から舞い込んでくるのは次のような相談です。

「子どもを勉強させるために、ご褒美で釣ってはいけないの？」
「子どもはほめて育てるべきなの？」
「ゲームは子どもに悪い影響があるの？」

なぜ、私の友人たちは、親でもなく、教員としてのキャリアも短い私にそんなことを尋ねるのでしょうか。

それは、私が教育経済学者だからです。教育経済学[1]は、教育を経済学の理論や手法を用いて分析することを目的としている応用経済学の一分野です。そして、私が、教育や子育てを議論するときに絶対的な信頼を置いているもの、それが「データ」です。

大規模なデータを用いて、教育を経済学的に分析することを生業としている私には、子育て中のご両親や学校の先生にわからないことがわかるときがあります。

先日、とあるテレビ番組を観ていたら、やはり「ご褒美で釣ること」「ほめて育てること」「ゲームを持たせること」について、その是非が議論されていました。子どもを育てる親にとっては、切実な悩みなのでしょう。

そしてそのテレビ番組で、教育評論家や子育ての専門家と呼ばれる人たちは、満場一致で次のような見解を述べていました。

- **ご褒美で釣ってはいけない「いけない」**
- **ほめ育てはしたほうが「よい」**

・ゲームをすると「暴力的になる」

司会者などの反応を見ても、その教育評論家たちの主張はすんなりと受け入れられていたように思います。もしかしたら、そうした主張のほうが多くの人の直感には反しないのかもしれません。しかし、教育経済学者である私が、自分の親しい友人に贈るアドバイスは、それとは正反対のものです（根拠については第2章でご紹介します）。

・ご褒美で釣っても「よい」
・ほめ育てはしては「いけない」
・ゲームをしても「暴力的にはならない」

私は、教育評論家や子育ての専門家と呼ばれる人たちを否定したいわけではありません。しかし、彼らがテレビや週刊誌で述べている見解には、ときどき違和感を拭えないときがあります。なぜなら、その主張の多くは、彼らの教育者としての個人的な経験に基づいているため、科学的な根拠がなく、それゆえに「なぜその主張が正しいのか」という説明が十分になされていないからです。

私は、**経済学がデータを用いて明らかにしている教育や子育てにかんする発見は、教育評論家や子育て専門家の指南やノウハウよりも、よっぽど価値がある**——むしろ、知っておかないともったいないことだとすら思っています。

本書は、その教育経済学が明らかにした「知っておかないともったいないこと」を読者のみなさんに紹介することを目的にしています。

「データを用いて教育を経済学的に分析する」と言われても、ピンとこない方が多いかもしれません。本論に入る前に、その分析の一例として、最近私が経験したちょっとした成功体験をご紹介させてください。

「試験」と「祖母の急死」の不思議な関係

私は２０１３年度から、学生数が１００人や２００人、ときには５００人を超える大規模クラスで授業を担当するようになりました。あるとき、私が担当する授業で中間試験を実施したのですが、試験当日、かなりの数の学生から次のような連絡が相次ぎました。「祖母が亡くなり、試験を受けられなくなった。ついては、後日追試を受けさせてほしい」と。

たとえば、２０１３年度の春学期に担当したある授業では、２５０人ほどの履修者のうち15人のお祖母様が亡くなられたとのこと。また、英語でのプレゼンテーションが単位を出すための必須条件になった秋学期の別の授業では、その数はさらに増え、なんと受講者の３割近い学生のお祖母様が亡くなるという不幸な事態が発生しました。

私が学生に対して日付の入った死亡診断書・会葬礼状・喪中葉書などの提出を求めたところ、数年前の日付の入った死亡診断書を持った学生が現れたり、または「テロとの関係で、祖母の死亡を明らかにすることがはばかられる」などといった、要領を得ない説明をする学生まで現れました。

私は困惑しつつも、なんとか1年間を無事に終えることができました。

そんな私が出会った運命の一冊。それは、著名な行動経済学者ダン・アリエリーの『ずる：嘘とごまかしの行動経済学[2]』です。

この本の邦訳の119ページ「祖母たちの訃報」という章で、アリエリー教授は次のように述べています。

「わたしは長年の教職経験から、いつも学期の終わりごろになると、学生の親戚の訃報が相次ぐことに気がついた。しかもそのほとんどが、期末試験の1週間前と、論文の締め切り直前に集中する。1学期あたりの平均では、わたしの学生の1割ほどが、だれかが――たいていは祖母が――亡くなったと言って、締め切りの延長を求めてくる」

私がこれに驚愕したことはいうまでもありません。なんと、かの有名なアリエリー教授までもが私と同じ体験をしておられるとは。そしてアリエリー教授の本では、ある怖いもの知らずの生物学の教授が、「試験と祖母の急死の間の因果関係」を明らかにするための研究を行ったことも紹介されています。

その教授が過去の自分の授業で収集したデータを分析した結果によると、祖母が亡くなる確率は、中間試験の前で通常の10倍、期末試験の前には19倍になり、さらに成績が芳しくない学生の祖母が亡くなる確率は50倍にも上ることが示されたのです。[3]

私は教育経済学者の性分で、自分の授業でもデータを取ることを欠かしません。アリエリー教授の著書に触発された私は、さっそく昨年の授業で記録したデータをもとに、中間試験と期末試験の日の祖母の死亡率を計算し、「私の授業の受講者の祖母の死亡率が異常なまでに高い」と、学生に説明しました。

さらに、授業の最後に行ったアンケート調査で「この講義に意欲的に取り組んだか」という質問に「まったく」あるいは「あまり」と答えた学生ほど、祖母の不幸を経験しているということも。

そして、それ以降、私の授業の受講者で祖母を亡くした人はただの1人も現れませんでした。

私が担当している授業の多くは、社会で起こっていることを、データを用いて実証的に分析することを目的として設計されています。私は授業の締めくくりの言葉として、学生に次のように伝えました。

「人間はだませても、データはだませない。収集したデータを分析し、社会の構造を明らかにすることが、いかに自分たちの生活を大きく変える可能性があるか、理解してほしいのです」

『「学力」の経済学』 目次

第2章 子どもを〝ご褒美〟で釣ってはいけないのか？

科学的根拠（エビデンス）に基づく子育て

第3章 〝勉強〟は本当にそんなに大切なのか？

〉〉〉人生の成功に重要な非認知能力

第4章

"少人数学級"には効果があるのか？

科学的根拠（エビデンス）なき日本の教育政策

第5章 "いい先生"とはどんな先生なのか？

日本の教育に欠けている教員の「質」という概念

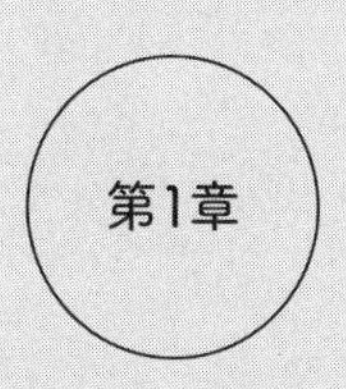

他人の“成功体験”はわが子にも活かせるのか？

データは個人の経験に勝る

教育は「一億総評論家」

ベストセラーとなった『統計学が最強の学問である』[4]の著者である西内啓氏は、同著の冒頭で次のように述べています。

「不思議なもので、教育という分野に関しては、まったくといっていいほどの素人でも自分の意見を述べたがるという現象がしばしばおこる」

たしかに日本では、教育を受けたことがない人はいないので、教育について一家言あるという人は少なくありません。まさに、「一億総評論家」状態だともいえるのです。

さらに、西内氏はこうも指摘します。

「どのような教育がいいか、という問いへの回答は、教育される本人の特性や能力、環境などさまざまな要因によって左右される……（中略）自分が病気になったときに、まず長生きしているだけの老人に長寿の秘訣を聞きに行く人はいないのに、子どもの成績に悩む親が、子どもを全員東大に入れた老婆の体験記を買う、という現象が起こるのは奇妙な事態だとは思わないだろうか」

私は同著を読んだとき、その的確なたとえに感銘すら受けました。統計学者である西内氏が警鐘を鳴らしていること、それはしょせんひとつの事例にすぎないものを、あたかも全体を表しているかのようにとらえてしまうことです。そして、私が今の日本の教育に感じている問題も、まさにこの点に集約されているといえます。

他人の子育て成功体験を真似しても自分の子どももうまくいく保証はない

もちろん、「子育てに成功したお母さんの話を聞きたい」という欲求自体に問題があるわけではありません。しかし、**どこかの誰かが子育てに成功したからといって、同じことをしたら自分の子どもも同じように成功するという保証は、どこにもありません。**西内氏が指摘するとおり、子どもの成功にはあまりにも多くの要因が影響しているからです。

東大生の親の平均年収は約「1000万円」

子育てに成功したお母さんの体験談が多くの人に求められる一方で、そうした体験談では、往々にして、あまたの研究が示す「子どもの学力にもっとも大きな影響を与える要因」については、ほとんど触れられていません。それは、親の年収や学歴です。

文部科学省の調査によると、親の学歴や所得が高いほうが、子どもの学力が高いことが示されています。(5) また、「学生生活実態調査」(2012年)によると、東京大学では、親世帯の平均年収は約1000万円となっており、世帯収入が950万円以上の学生の割合がなんと約57%を占めています。

「民間給与実態調査」(2012年)における給与所得者1人あたりの平均年収が408万円、「家計調査」(同)の2人以上勤労者世帯の平均年収が623万円(図1)ですから、東大生の親の収入がいかに突出して高いか、おわかりいただけるでしょう。

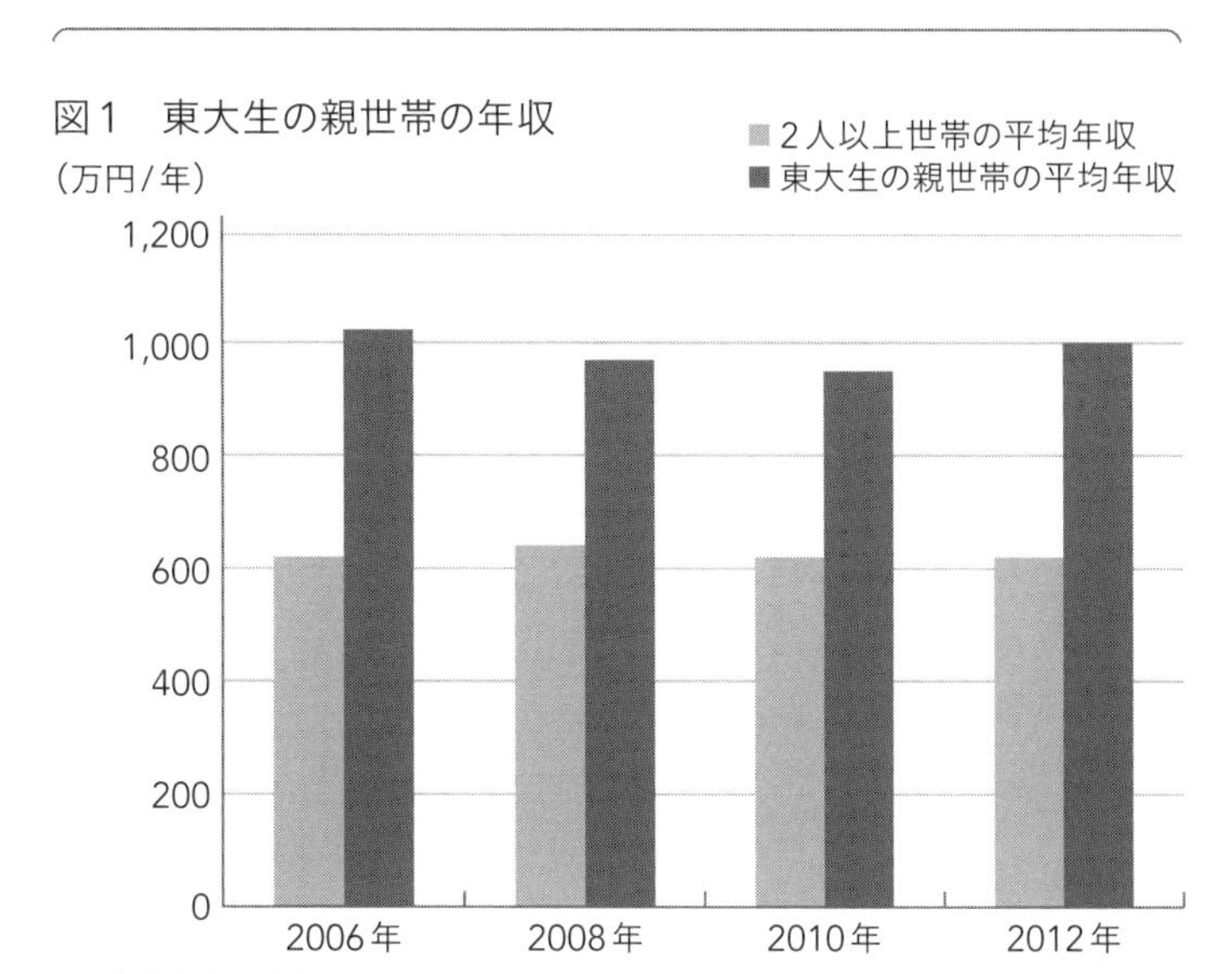

図1　東大生の親世帯の年収

注：「学生生活実態調査」では、東大生の親世帯の年収分布しか公表されていないため、世帯の年収額にかんする回答の選択肢の中央値（たとえば、50万円以上750万円未満の場合、600万円）にその世帯の割合で加重平均して平均収入を算出した。

出所：総務省統計局「家計調査」、東京大学学生委員会・学生生活調査室「学生生活実態調査」

教育経済学では、たった一人の個人の体験よりも、個人の体験を大量に観察することによって見出される規則性を重視する

子どもを全員東大に入れたなどという話は、とても一般的とはいえません。むしろ「例外中の例外」なのです。しかし、教育という分野においては、そういう例外的な個人の体験談ほど、注目されがちであるようにも思えます。

そもそも特定の個人の成功体験を一般化することはとても難しいことです。ましてや、「例外中の例外」である個人の逸話を一般化することはさらに難しい。それにもかかわらず、そうした逸話をやみくもに信じて同じことをしてしまっては、かえって子どもを成功から遠ざけてしまうのではないでしょうか。

教育経済学者の私が信頼を寄せるのは、たった一人の個人の体験記ではありません。個人の体験を大量に観察することによって見出される規則性なのです。

米国の「落ちこぼれ防止法」で111回も使われた言葉

また、断片的な個人の経験から、政策など社会全体にかかわるものを議論することに

も、同様に慎重であらねばなりません。しかし、教育政策には、たぶんに権威のある人の自分の経験に基づく発言が反映されるきらいがあります。

たとえば、経済財政諮問会議の議事録をみても、教育再生が議論に上った途端、財務大臣や経済再生担当大臣など、およそ教育の専門家とはいえない人までもが「私の経験によると……」と、自分の経験談をもとに、主観的な持論を展開しています。

一方、財政政策や経済政策について、文部科学大臣が「私の経験から」と発言する場面はこれまでみられていません。もしそんなことをしたら、当然「それは主観にすぎないのではないか」「その根拠は何か」と問われるに違いないからです。このように、**日本ではまだ、教育政策に科学的な根拠が必要だという考え方はほとんど浸透していないのです。**

一方、米国は2000年代初めには、こうした状態を脱しています。私が米国のコロンビア大学で博士課程の学生だったころ、米国の教育政策は大きな変革期を迎えていました。転換点となったのは、2001年にブッシュ政権下で成立した「落ちこぼれ防止法（No Child Left Behind Act)」です。

この法律の中で、実に111回も用いられている象徴的な言葉があります。それが「**科学的な根拠に基づく**」というフレーズです。この法律によって米国の教育政策は大きく舵を切ることを余儀なくされました。

次いで、2002年に「教育科学改革法(Education Science Reform Act)」が制定されたことによって、自治体や教育委員会が国の予算をつけてもらうためには、自分たちの行っている教育政策にどれくらいの効果があるのかという科学的根拠を示さなければならなくなりました。このため米国では、自治体や教育委員会が、自ら積極的に教育政策の効果を科学的に検証し、そこから得られた知見が、自治体や国など全体の政策に反映されるようになっています。これを、「科学的根拠に基づく教育政策」または「エビデンスベーストポリシー」といいます。

端的にいってしまえば、科学的根拠に基づく教育政策とは、「どういう教育が成功する子どもを育てるのか」ということを科学的に明らかにしようとする試みです。このために、経済学者はいったい何をしているのでしょうか。

経済学者が示す「エビデンス」とは

まず、「どういう教育が成功する子どもを育てるのか」という、**決して目に見えないものを数字で示します。**

経済学者は「子どもの目がキラキラするようになった」とか「学校が活気にあふれている」などといった、人によって見方が変わってしまう主観的な表現で「教育に効果があった」といったりはしません。また、自治体や政府の報告書の中にやたらと登場するような、「満足しましたか」と子ども自身に聞いたアンケート調査の集計を「エビデンス」と呼ぶこともありません。あくまで、客観的な数字をもとに事実を示します。

「教育の効果は数字では測れない」という指摘もあります。しかし、私はそれには賛成できません。もちろん、教育のすべての側面を数字で表せるわけではありませんが、最近の経済学や心理学の貢献によって、さまざまな仮定を置きつつも、教育の効果は数値化が可能になってきています。

教育以外の政策では——地球温暖化対策も、高速道路建設も——それらにどのような効果があったのかを数字で示すことが定着しています。そうしないと、税金を払っている国民の納得を得られないからです。教育も、例外ではないでしょう。

経済学者がしているもうひとつのこと、それは「どういう教育が成功する子どもを育てるのか」という問いについて、その**原因と結果、すなわち因果関係を明らかにする**ことです。因果関係という言葉は誤用されていることも多いので、ここでは例を示しつつご説明したいと思います。

文部科学省は、「全国学力・学習状況調査」という学力テストの結果を用いて、子どもの学力と家庭環境にどのような関係がみられるかを分析しています。その分析によると、「親の年収や学歴が低くても学力が高い児童の特徴は、家庭で読書をしていること」だとされています。この結果を受けて、多くのメディアは「子どもに読書をさせることが重要だ」と報道をしています。はたしてこの報道は正しいのでしょうか。

残念ながら、正しいとはいえません。この報道には2つの誤りがあります。

第一に、読書と学力の間に因果関係があるように想起させる表現になっていることです。「因果関係」と「相関関係」、どちらも2つの出来事の関係を示すときに使われる言葉ですが、決定的に違う点があります。

因果関係は「Aという原因によってBという結果が生じた」ことを意味します。しかし、相関関係は単に、「AとBが同時に起こっている」ことを意味しているにすぎません。相関関係は2つの出来事のうちどちらが「原因」で、どちらが「結果」であるかを明らかにするものではないのです（30ページ図2）。「相関関係」があるということは、必ずしも「因果関係」があることを意味しません。

つまり、読書をしているから子どもの学力が高い（因果関係）のではなく、学力の高い子どもが読書をしているのにすぎない（相関関係）可能性があるのです[6]。

「読書をする」ことが原因で、「学力が高くなる」という結果がもたらされていることがはっきりしないのに、本を買い与えたり、読み聞かせをしたりしたら、お金や時間の無駄遣いになってしまうかもしれません。

図2　読書と学力は鶏と卵の関係

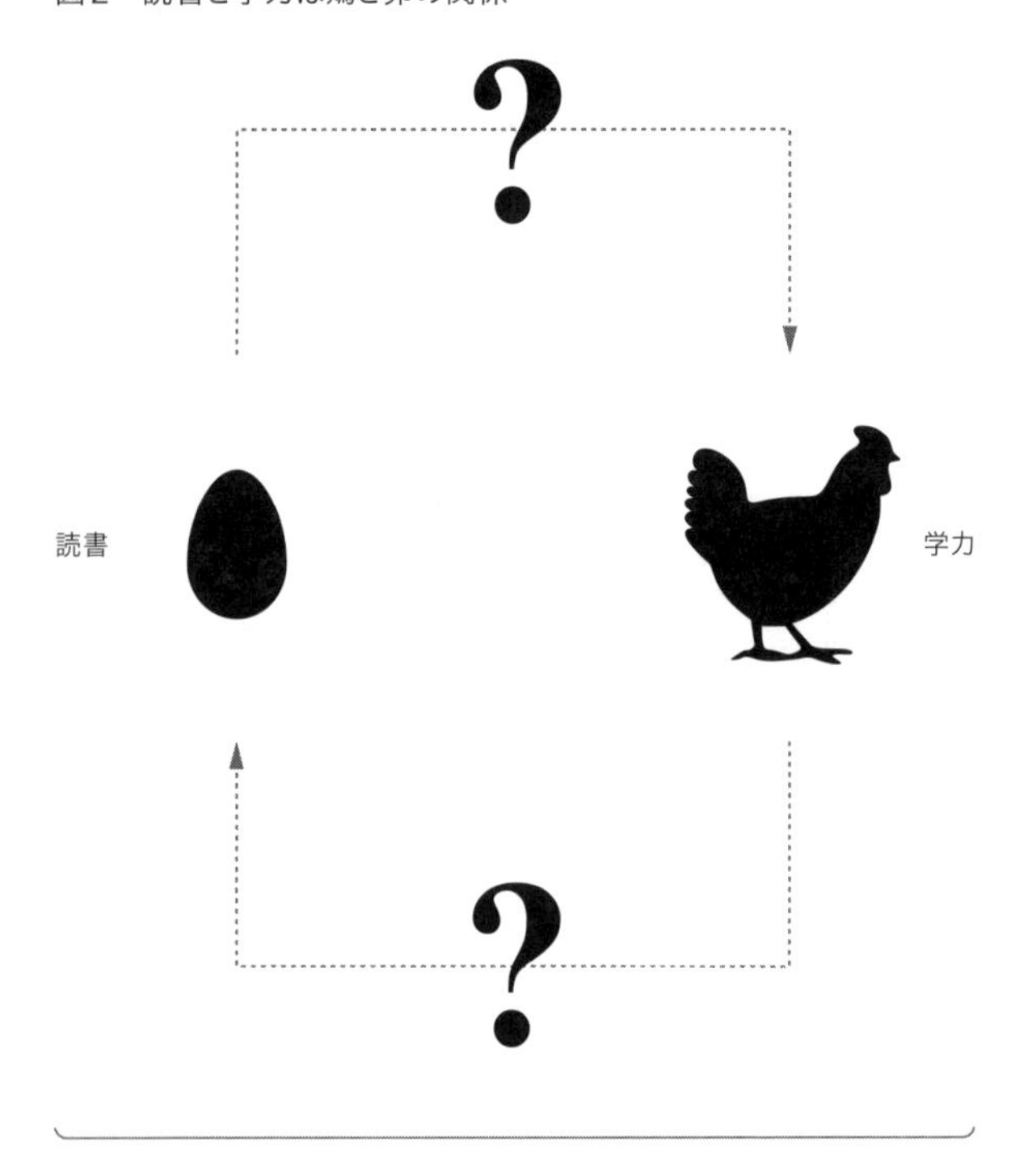

また、この報道にはもうひとつの誤りがあります。それは、「見せかけの相関」の可能性を検討していないことです。つまり、読書にも学力にも影響するような「第三の要因」があるかもしれないのに、そのことを考慮していないのです。

「第三の要因」としては、たとえば、「子どもに対する親の関心の高さ」などが考えられます。子どもに対する関心が高い親は、子どもを勉強するように促すでしょうし、同時に子どもに本を買い与えたりもするでしょう。その「関心の高さ」こそが両方の変化を同時に引き起こしているにもかかわらず、あたかも、読書と学力の間に相関関係があるかのように見えてしまう。これが「見せかけの相関」です（32ページ図3）。

間違って、見せかけの相関を因果関係と解釈してしまうと誤った判断のもとになります。では因果関係を明らかにするために、経済学者はどのような方法を用いるのでしょうか。

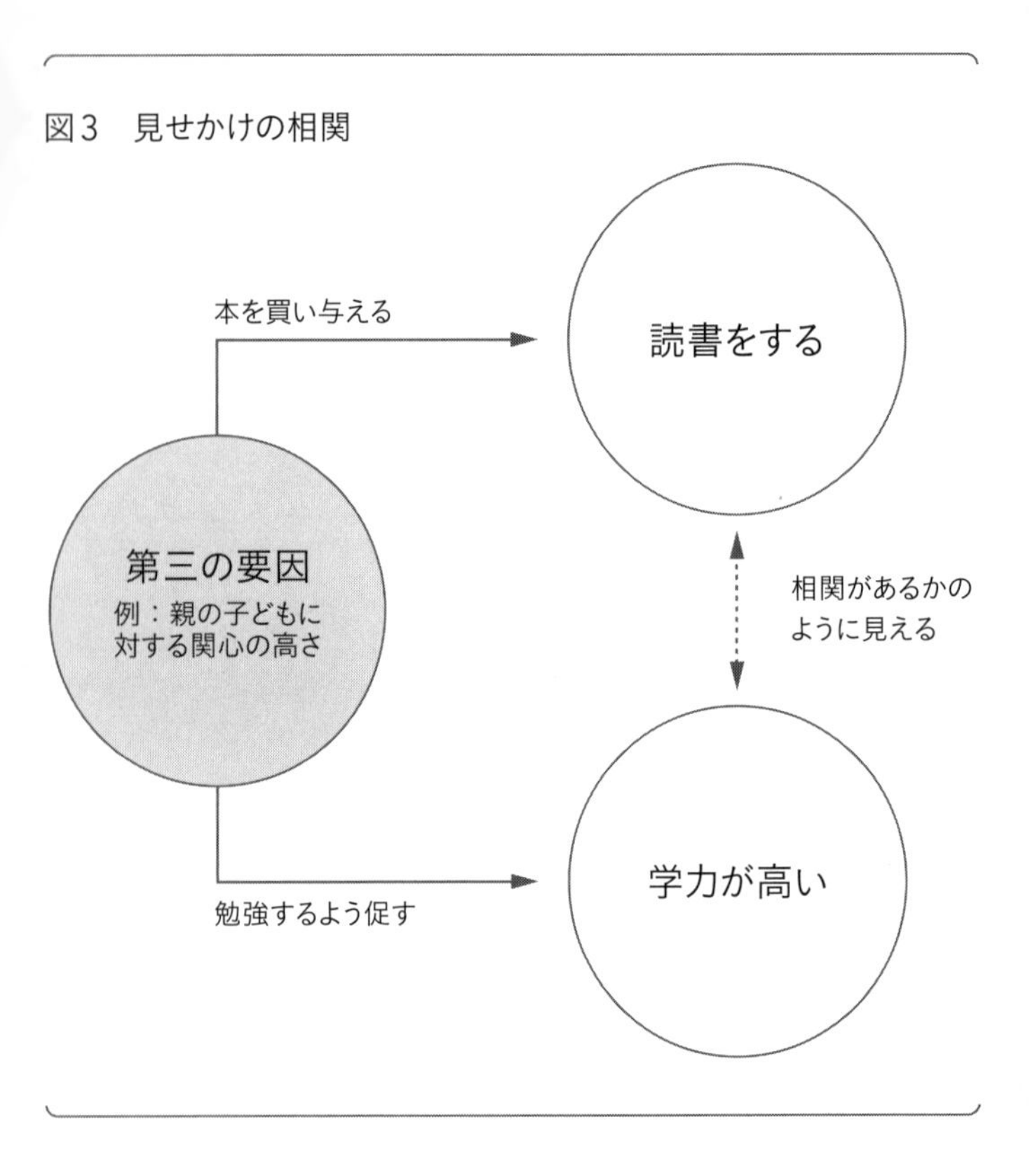
図3　見せかけの相関
本を買い与える
読書をする
第三の要因
例：親の子どもに
対する関心の高さ
相関があるかの
ように見える
学力が高い
勉強するよう促す

教育で「実験」をする

　ここでは経済学ではなく、医学でよく用いられる手法を理解することが役立ちます。医療における「治験」という言葉をご存じでしょうか。「治験」は治療における臨床試験のことを指し、新しく開発された薬に本当に病気を治す効果があるのかを確かめるために行われる実験です。

　治験に参加する被験者を、新しく開発された薬を投与される人（これを「**処置群**」、または「トリートメントグループ」と呼びます）と、偽薬またはプラセボと呼ばれる実際には効果のない薬を投与される人（これを「**対照群**」、または「コントロールグループ」と呼びます）にランダムに分けて、一定期間経過を観察した後で、新しく開発された薬を投与された人の症状と、偽薬を投与された人の症状を比較します。

　前者の治癒率が後者の治癒率よりも高く、その差が「統計的に有意」であれば、この薬には因果効果があったといえるでしょう。

（2つのグループの差が）「統計的に有意である」というのは、統計学の用語です。もう少し平たくいうと、差が**「統計的に有意である」というのは、処置群と対照群の差が、偶然による誤差の範囲内ではない、「何か意味のある差」**だということです。

私たちは、日常生活でもよく「差」という言葉を使いますが、その「差」が単に偶然による誤差の範囲なのかにはあまり注意を払っていません。しかし、統計的に有意な差があるかどうかを確認することは非常に重要です。

たとえば、学校間の学力のばらつきが小さい地域にあるA校とB校の間に5点の平均点の差があった場合は、その差は統計的に有意な「何か意味のある差」かもしれません。しかし、学力のばらつきが大きい地域にあるC校とD校において平均点に10点の差があったとしても、それは統計的に有意ではない、すなわち単なる偶然による誤差ということもありえるからです。

実験は、本来医学などの自然科学ではよく用いられる手法でした。しかし、近年では経済学などの社会科学の分野でも、因果関係を明らかにする手法として用いられるよう

経済学者は教育政策の因果効果を明らかにするため、教育の分野で「実験」を行っている

になってきています。誤解を恐れずにいえば、**経済学者は、教育の分野でこの「実験」を行っているのです**。

経済学者が行う「実験」について、詳しくは巻末の「補論：なぜ、教育に実験が必要なのか」で述べています。これは、経済学者が用いる手法が、決して個人の断片的な経験や主観に頼るものではないことを知るうえで非常に重要ですので、ぜひお読みいただきたいのですが、ここではまずはそういった手法を用いて経済学が明らかにしていることをご紹介することから始めたいと思います。

経済学は「社会科学の女王」と呼ばれ、社会現象のメカニズムを明らかにするときに、できる限り主観的な見方を排して、「科学」たろうとしてきた歴史を持ちます。そして、経済学者は、子育て中の親ですらときには真剣に悩んでしまうような教育問題に対して答えを出そうと、努力と挑戦を続けてきました。

どこかの誰かの成功体験や主観に基づく逸話ではなく、科学的根拠に基づく教育を。経済学者は、そう提案しているのです。

経済学者というと、財政政策とか、国際貿易などを研究している人たちをイメージされるかもしれませんが、最近の経済学が分析対象にするのは、そういったマクロ経済的な事象だけではありません。

ノーベル経済学賞受賞者であるシカゴ大学のゲイリー・ベッカー教授やジェームズ・ヘックマン教授に加えて、もっとも優秀な40歳以下の若手経済学者に贈られるジョン・ベイツ・クラーク賞の受賞者であるマサチューセッツ工科大学のエスター・デュフロ教授、ハーバード大学のラージ・チェティ教授、ローランド・フライヤー教授らには、教育経済学の分野であまたの研究業績があります。

教育は、今や世界中の優れた経済学者の興味を惹きつけてやまない研究テーマのひとつなのです。

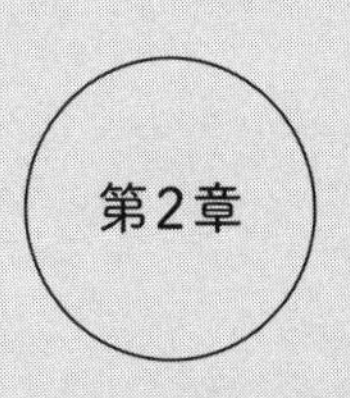

第2章

子どもを“ご褒美”で釣ってはいけないのか？

科学的根拠（エビデンス）に基づく子育て

「子どもを勉強させるために、ご褒美で釣ってはいけないの？」
「子どもはほめて育てるべきなの？」
「ゲームは子どもに悪い影響があるの？」

冒頭でご紹介したように、教育経済学者である私には、子育て中のご両親から多くの悩みが寄せられます。この章では、そんなご相談に、科学的根拠に基づいてお答えしていこうと思います。

「目の前ににんじん」作戦を経済学的にひもとく

「子どもを勉強させるために、ご褒美で釣ってはいけないのか」

これは、子育て中の友人たちからもっとも頻繁に受ける相談です。「にんじんをぶら下げれば勉強するんだったらそれでいいじゃないか」という考え方もあるのかもしれません。しかし、ご褒美で子どもを釣らなければ勉強させられないなんて、親として失格なのではないかと、密かに悩んでおられるご両親も多いようです。

実は、経済学はこの問いについて、科学的根拠に基づく答えを持っています。そもそも経済学とは、「人々が（ご褒美のような）インセンティブ*にどのように反応するか」を明らかにしようとする学問なのです。

「今勉強しておくのがあなたのため」は経済学的に正しい

どの家庭でも、親は子どもに勉強させようとあの手この手を尽くします。

「今ちゃんと勉強しておくのが、あなたの将来のためなのよ」

後で詳しく述べますが、おそらく多くのご両親が口にしたことがあるはずのこの言葉は、経済学的にも正しいことが明らかになっています。子どものころにちゃんと勉強しておくことは、将来の収入を高めることにつながるのです。

経済学には「教育の収益率」という概念があり、「1年間追加で教育を受けたことによって、その子どもの将来の収入がどれくらい高くなるか」を数字で表します。そして、

＊インセンティブとは：人の意欲を引き出すために与える刺激のことを指す。

教育投資への収益率は、株や債券などの金融資産への投資などと比べても高いことが、多くの研究で示されています。

今ちゃんと勉強しておけば、将来の収入が高くなることは数字で示されているにもかかわらず、なぜ子どもたちは、目の前にご褒美がなければちゃんと勉強しないのでしょう。

実は、人間にはどうも目先の利益が大きく見えてしまう性質があり、それゆえに、**遠い将来のことなら冷静に考えて賢い選択ができても、近い将来のことだと、たとえ小さくともすぐに得られる満足を大切にしてしまう**のです。

たとえば、半年後の正月に祖父母から5000円のお年玉がもらえるとわかっている子がいるとしましょう。その子に「1週間もらうタイミングを遅らせればお年玉は5500円になるよ」と伝えると、その子どもは「だったら、1週間我慢して5500円をもらうよ」と答えるわけです。

一方、明日の誕生日に祖父母から5000円の小遣いがもらえるということになったとしましょう。その場合、「1週間延期する代わりに小遣いは5500円になるよ」といわれても、すぐに得られる満足を優先し、明日の5000円を選んでしまう、というようなことが生じます（42ページ図4）。

このように、近い将来の満足を優先する状態は、子どもが勉強するときにも生じています。遠い将来のことを考えればちゃんと勉強したほうがよいことがわかっているのに、つい勉強せずに楽をするという近い将来の満足を大切にし、その結果「勉強するのは明日からでいいや」と先送りしてしまうのです。

こういった先送り行動は、子どもだけにみられるものではありません。長い目で見ればダイエットし、禁煙しなければならないことはわかっているのに、つい目先の誘惑に負けてたくさん食べてしまったり、タバコを吸ってしまう――こういう経験は、大人にだって少なくないはずです。

「目先の利益や満足をつい優先してしまう」ということは、裏を返せば「目の前にご褒美をぶら下げられると、今、勉強することの利益や満足が高まり、それを優先する」と

図4　近い将来の時間割引率のほうが
遠い将来の時間割引率よりも高くなる「双曲割引」*

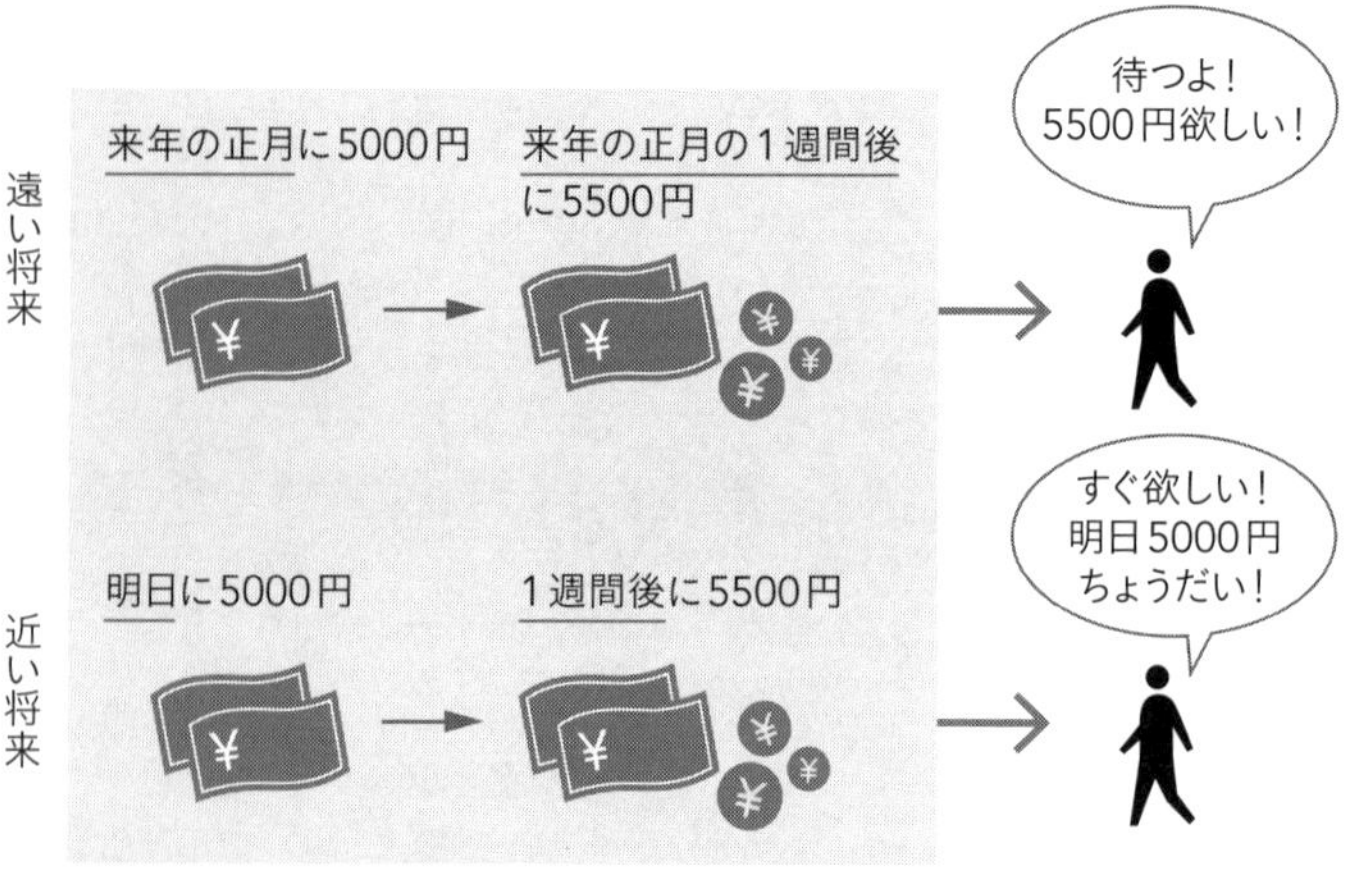

遠い将来

来年の正月に5000円

来年の正月の1週間後に5500円

待つよ！
5500円欲しい！

近い将来

明日に5000円

1週間後に5500円

すぐ欲しい！
明日5000円
ちょうだい！

すぐに得られるご褒美を設定することは、「今勉強すること」の利益や満足を高めること

いうことでもあります。実は、子どもにすぐに得られるご褒美を与える**「目の前ににんじん」作戦は、この性質を逆に利用し、子どもを今勉強するように仕向け、勉強することを先送りさせないという戦略なのです。**

「テストでよい点を取ればご褒美」と「本を読んだらご褒美」——どちらが効果的？

「テストでよい点を取ればご褒美をあげます」
「本を1冊読んだらご褒美をあげます」

右のうち、子どもの学力を上げる効果を持つのはどちらでしょうか。

ご褒美が子どもの出席や学力にどのような因果効果を持つかについて、精力的に研究

＊人間は「今」と「将来」を比べると、今目の前にある利益や満足のほうを優先しがちな「選好」(個人の「好み」)を持っており、これを経済学の用語では「時間割引率が高い」という。そして、近い将来の時間割引率のほうが遠い将来の時間割引率よりも高くなることを、経済学の用語で「双曲割引」という。

を行っているのが、ジョン・ベイツ・クラーク賞の受賞者でもある、ハーバード大学のフライヤー教授です。今まで、米国のシカゴ、ダラス、ヒューストン、ニューヨーク、ワシントンDCの5都市で、ご褒美の因果効果を明らかにする実験を行ってきています。[7]

ちなみに、この5都市で行われた実験は、実に9・4億円を使い、約250校、小学2年生から中学3年生までの約3万6千人もの子どもが参加した大規模なものでした。

このフライヤー教授の研究を理解するには、子どもの教育成果の分析に用いるもっとも標準的な分析枠組みである「教育生産関数」*を知っておくと便利です。これは、別名「インプット・アウトプットアプローチ」とも呼ばれ、授業時間や宿題などの教育上のインプットが、学力などのアウトプットにどのくらい影響しているかを明らかにしようとするものです（図5）。

＊教育生産関数とは：労働、資本といった生産要素を生産過程に投入することによって生産物が産出される、というモデルを教育に応用したもの。

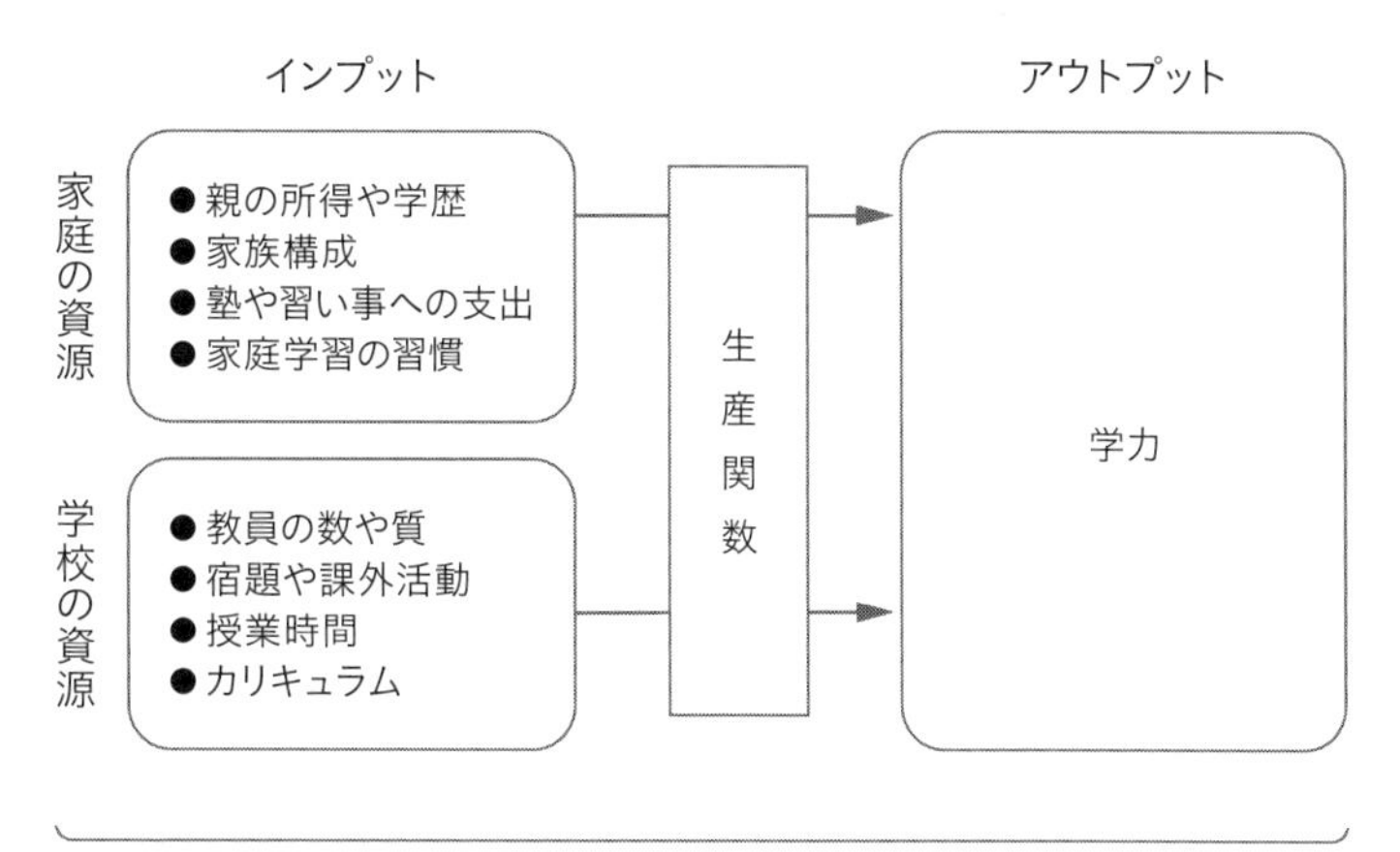
図5　教育生産関数とは
インプット
アウトプット
家庭の資源
●親の所得や学歴
●家族構成
●塾や習い事への支出
●家庭学習の習慣
学校の資源
●教員の数や質
●宿題や課外活動
●授業時間
●カリキュラム
生産関数
学力

フライヤー教授が実施した実験は、大きく分けると2種類ありました。

ひとつは、ニューヨークやシカゴで行われたもので、教育生産関数でいうところの「アウトプット」、すなわち学力テストや通知表の成績などをよくすることにご褒美を与えるというものです。「テストでよい点を取ればご褒美をあげます」は、こちらに該当します（図6）。

もう1つは、ダラス、ワシントンDC、ヒューストンで行われたもので、教育生産関数における「インプット」、すなわち本を読む、宿題を終える、学校にちゃんと出席する、制服を着るなどのことにご褒美を与えるというものです。「本を1冊読んだらご褒美をあげます」は、こちらに該当します（図6）。

この2種類の実験のうち、子どもたちの学力を上げる効果があったのはどちらでしょうか。

インプットにご褒美を与えると、子どもたちは本を読んだり、宿題をしたりするようになるのでしょうが、必ずしも成績がよくなるとは限りません。

図6　フライヤー教授によるご褒美実験

	場所 対象学年	ご褒美の設計	ご褒美で得た金額
インプットにご褒美作戦	ダラス (小2)	本を1冊読んで、内容を問う短いテストに正答できれば200円	平均：1,381円
	ワシントンDC (小6～中2)	学校での態度、出席、行動に対してあらかじめ決められた基準をクリアすれば2週間で10,000円	平均：53,285円
	ヒューストン (小5)	算数の練習問題を解くごとに親と子どもの両方が200円、親がPTA会合に出席すれば2,000円	子ども平均：22,872円 親平均：25,427円
アウトプットにご褒美作戦	ニューヨーク (小4と中1)	小4は前回よりも点数が上がればテストごとに2,500円(年あたり25,000円)、中1は5,000円(50,000円)	小4平均：13,943円 中1平均：23,200円
	シカゴ (中3)	通知表の成績がA=5,000円、B=3,500円、C=2,000円、DとFは0円	平均：42,293円

注：本書では、すべて1ドル100円として、日本円に換算している。
出所：Allan, B. M., & Fryer, R. G. (2011). The power and pitfalls of education incentives. Brookings Institution, Hamilton Project.

一方、アウトプットにご褒美を与えることは、より直接的に成績をよくすることを目標にしているのですから、直感的には、アウトプットにご褒美を与えるほうがうまくいきそうに思えます。

しかし、結果は逆でした。**学力テストの結果がよくなったのは、インプットにご褒美を与えられた子どもたちだったのです。**

とくに、数あるインプットの中でも、本を読むことにご褒美を与えられた子どもたちの学力の上昇は顕著でした。一方で、アウトプットにご褒美を与えられた子どもたちの学力は、意外にも、まったく改善しませんでした。どちらの場合も、子どもたちは同じように喜び、ご褒美を獲得しようとやる気をみせたにもかかわらず。

なぜ「テストでよい点を取る」というアウトプットにご褒美を与えることは、子どもたちの学力に影響を及ぼさなかったのでしょうか。

鍵は、子どもたちが「ご褒美」にどう反応し、行動したかということにありました。

ご褒美は「テストの点数」などのアウトプットではなく、「本を読む」「宿題をする」などのインプットに与えるべき

「インプット」にご褒美が与えられた場合、子どもにとって、何をすべきかは明確です。本を読み、宿題を終えればよいわけです。一方、「アウトプット」にご褒美が与えられた場合、何をすべきか、具体的な方法は示されていません。

ご褒美は欲しいし、やる気もある。しかし、どうすれば学力を上げられるのかが、彼ら自身にわからないのです。

ここから得られる極めて重要な教訓は、**ご褒美は、「テストの点数」などのアウトプットではなく、「本を読む」「宿題をする」などのインプットに対して与えるべきだ**ということです。

まず「勉強のしかた」を勉強することが重要

フライヤー教授が、実験の後に行ったアンケート調査は、アウトプットにご褒美を与えることがうまくいかなかった理由をはっきりと示していました。

アウトプットにご褒美を与えられた子どもたちは「今後もっとたくさんのご褒美を得

るためには何をしたらよいと思うか」という問いに対し、ほとんど全員が「しっかり問題文を読む」「解答を見直す」などのように、テストを受ける際のテクニックについての答えに終始していたのです。

「わからないところを先生に質問する」「授業をしっかり聞く」などのように、本質的な学力の改善に結びつく方法にまでは、まったく考えが及んでいなかったことがわかります。

ここで、「だとすれば、その方法を教えてあげる人がいるとよいのでは」という仮説がおのずと生まれてきます。この仮説については、次のような研究があります。

ニューヨーク市立大学のロドリゲス准教授は、子どもの学習の面倒をみる指導者や先輩がいる場合には、アウトプットにご褒美を与えても学力が改善することを発見しました[8]。指導者や先輩が、目標のためにどのように努力すべきかについて具体的な道筋を示してくれたからです。**アウトプットにご褒美を与える場合には、どうすれば成績を上げられるのかという方法を教え、導いてくれる人が必要であることがわかります。**

ご褒美は子どもの「勉強する楽しさ」を失わせてしまうのか

しかし、ご褒美の効果については、まだまだ考えなければならない問題があります。「ご褒美」のことを経済学では「外的インセンティブ」といいます。親や教育者は、こうした外的なインセンティブを教育の現場で用いると、短期的には子どもを勉強に向かわせることに成功したとしても、「一生懸命勉強するのが楽しい」というような、好奇心や関心によってもたらされる「内的インセンティブ」を失わせてしまうのではないか、という点についても心配されているようです。

実際に、外的インセンティブが内的インセンティブを締め出してしまった例は存在します。

過去の研究では、献血をする人に対してお金を支払うようにした途端、献血をする人が減ってしまったり[9]、高校生が募金活動を行う際に、「集めた金額に応じて謝金がもらえる」という仕組みを導入したところ、かえって集まった募金額が減ってしまったことを示す実験もあります[10]。お金という外的インセンティブが持ち込まれた途端、「献血や

ご褒美を与えることは、必ずしも、子どもの「一生懸命勉強するのが楽しい」という気持ちを失わせるわけではない

募金活動を通じて社会に貢献したい」という内的インセンティブが失われてしまったのです。

同じように、子どもにご褒美を与えることによって「一生懸命勉強するのが楽しい」という子どもたちの気持ちが失われてしまうようなら、本末転倒です。

この点についても、フライヤー教授は検証を行っています。実験の後に行ったアンケート調査の中で、心理学の手法を用いて内的インセンティブを計測したところ、ご褒美の対象となった子どもたち（＝処置群）と、対象にならなかった子どもたち（＝対照群）の内的インセンティブには統計的に有意な差が観察されませんでした。すなわち、**ご褒美が子どもの「一生懸命勉強するのが楽しい」という気持ちを失わせてはいなかったのです。**

「お金」はよいご褒美なのか

そうすると次に問題となるのは、ご褒美として「お金」はふさわしいのか、ということです。

『ヤバい経済学』の著者でもあるシカゴ大のレヴィット教授らが行った別の実験では、ご褒美として、お金のかわりにトロフィーが用いられました。[11]トロフィーといってもたいしたものではなく、約400円という安物でした。しかし、小学生に対しては400円のお金よりも、同額のトロフィーのほうが大きな効果があったことがわかっています。この実験からもわかるように、**子どもが小さいうちは、トロフィーのように、子どものやる気を刺激するような、お金以外のご褒美を与えるのがよいでしょう。**一方、同じ実験の中で、中高生以上にはやはりトロフィーよりもお金が効果的だったこともわかっています。

「ご褒美としてお金を与えてよいものか」と逡巡されるご両親もおられると思います。しかし、私は金額や与え方を間違わなければ、お金はそんなに悪いご褒美ではないと思っています。[12]

私がそう考える根拠は、フライヤー教授が事後的に行ったアンケート調査の中にあります。アンケート調査の結果によると、ご褒美にお金を得た子どもたちは、お金を無駄遣いするどころか、きちんと貯蓄をし、娯楽や衣服、食べものに対して使うお金を減らすなど、より堅実なお金の使い方をしていたことが明らかになりました。この実験では、ご褒美と一緒に、貯蓄用の銀行口座を作ったり、家計簿をつけるなどの金融教育が同時に行われていたこともその一因だと考えられます。

お金というご褒美を頭ごなしに否定するのではなく、金融教育も同時に行えば、子どもたちは、お金の価値に加えて、貯蓄することの大切さまでも学んでくれるのです。

教育経済学的に正しい「ご褒美」の設計

過去の研究蓄積をみる限り、「ご褒美」の設計を正しく行えば、「一生懸命勉強するのが楽しい」という気持ちを失わせることなく、かつ貯蓄することの大切さを学ばせつつ、学力を向上させられるはずです。どのような「ご褒美」の設計が効果的なのか、あらためてまとめてみましょう。次のうち有効なのはどちらでしょうか。

アウトプットではなくインプットに、遠い将来ではなく近い将来にご褒美を与えるのが効果的

「1時間勉強したら、勉強が終わった後にお小遣いをあげるよ」
「テストでよい点を取ったら、お誕生日にお小遣いをあげるよ」

これは同じようにみえて、まったく異なる2つの作戦です。前者は、「1時間勉強する」というインプットに「お金」というご褒美を、勉強が終わった「すぐ後」に与えるというものです。一方、後者は「テストでよい点を取ったら」というアウトプットに対して、今すぐではなく少し先の「お誕生日」にご褒美を与えます。ここまで示されたエビデンスによると、おそらく功を奏するのは、アウトプットではなくインプットに対して、遠い将来ではなく近い将来にご褒美を与える前者のはずです。

子どもはほめて育てるべきなのか

「子どもはほめて育てるべきなのか」

これも、私が友人からよく受ける相談です。友人によると「ほめ育て」というのは子どもたちの自尊心を高めるような育児法で、多くの人に支持されているそうです。ためしにほめ育てを推奨している育児書を読んでみると、たしかに「子どもをほめて育てると、自分に自信を持ち、さまざまなことにチャレンジできる子どもに育つ」という趣旨のことが書いてありました。

自分に自信を持つ、言い換えれば自尊心を高めること—これはとても大切なことのように思えます。心理学の研究では、自尊心が高い生徒は、教員との関係が良好で、学習意欲が高く、実力に見合った進路を選択している傾向があることが指摘されています。直感的にも、子どもの自尊心が低いと、教員との関係がうまく築けなかったり、学習に対して意欲がわかなかったり、自分の実力を過小評価して進路を選択してしまう、というのはどれも正しいように思えますので、「ほめ育て」が一定の支持を集めているのもうなずけます。

そんな中、日本人は、他の国の人々と比べると自尊心が低いことが指摘されています。

図7　「自分はダメな人間だ」と思う日本の中高生

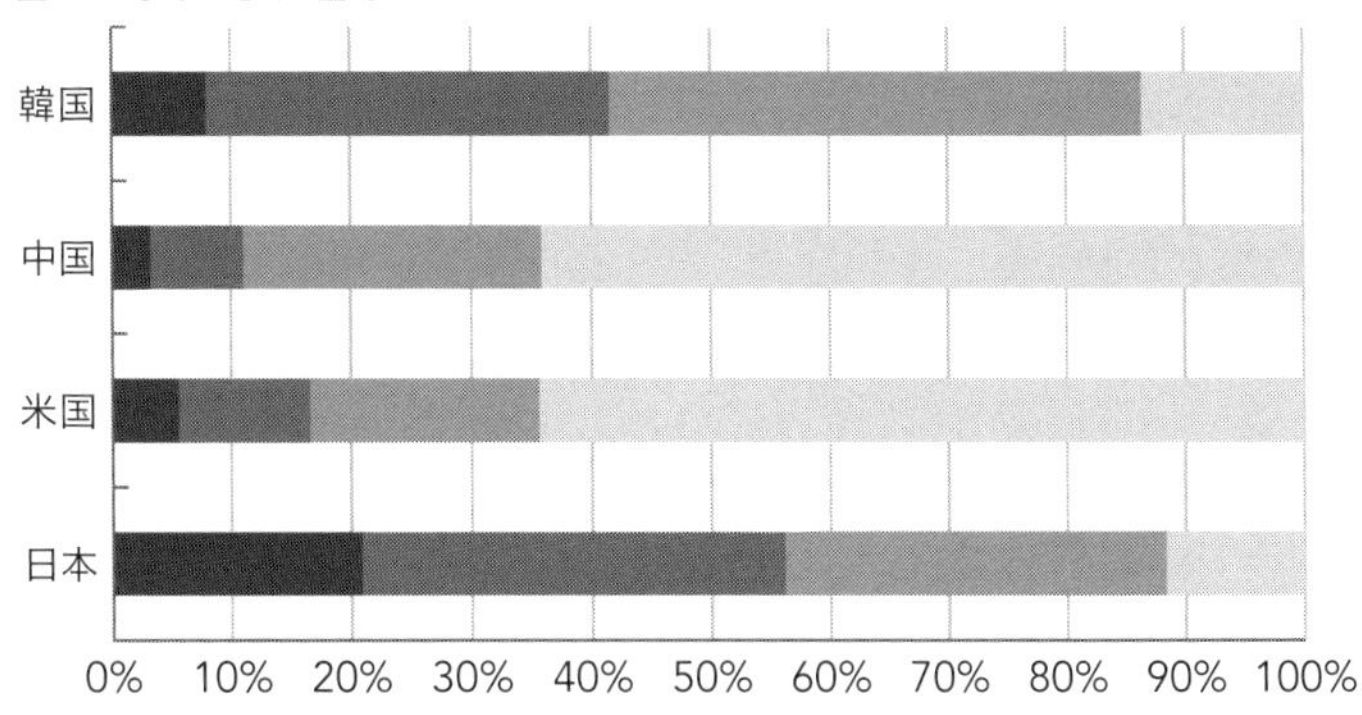

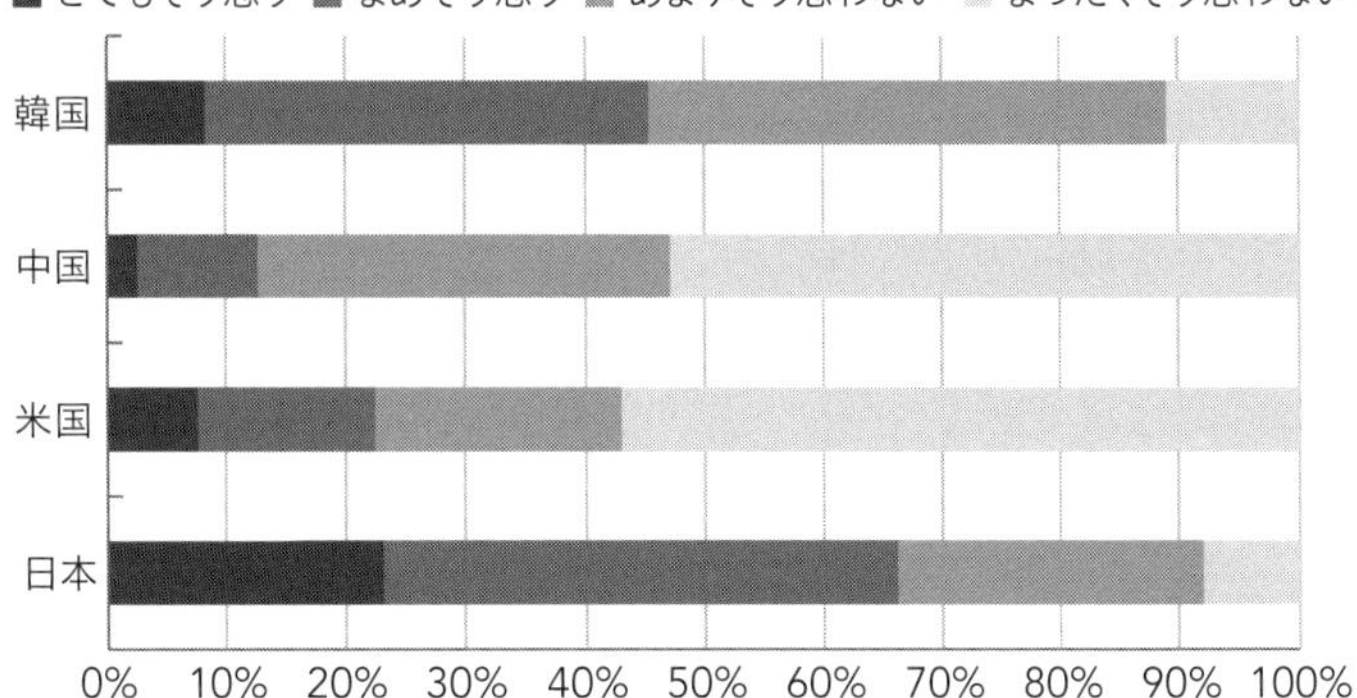

注：1. 日本、米国、中国、韓国の中・高校生、計約7200人を対象に実施した「中学生・高校生の生活と意識」（2008年）をもとに作成。
2.「自分はダメな人間だと思う」という質問に、「とてもそう思う」「まあそう思う」「あまりそう思わない」「まったくそう思わない」の4件法でそれぞれの回答に答えた生徒の割合で表している。
出所：日本青少年研究所「中学生・高校生の生活と意識」

57ページの図7は、日本青少年研究所が日本、米国、中国、韓国の中高生を対象に行った調査で「自分はダメな人間だと思う」と答えた人の割合です。日本の中高生は他国の生徒たちと比して自分の能力に対する自信に欠けていることがわかります。

しかも、日本人の自尊心は、他の国と比較して低いだけではなく、学年が上がるにつれて徐々に低下していく傾向がみられます。とくに、小学校低学年から中1にかけての低下が顕著です（図8）。

こうした調査を受けて、「家庭や学校で自尊心を高めるように働きかけることが重要だ」という識者もいます。この主張は正しいのでしょうか。

自尊心のような目に見えないものを数値化するのには、心理学の手法を用います。*たとえば、調査対象者に対して「少なくとも人並みには価値のある人間であると思うか」とか、「自分には自慢できるところがあまりないと思うか」などの質問をして、その回答から自尊心を表す指標を作ります。

＊自尊心を計測する有名な指標としては、心理学者であるローゼンバーグ教授によって提案された「ローゼンバーグ自尊感情尺度」が有名（13）。

図8　自尊心の変化

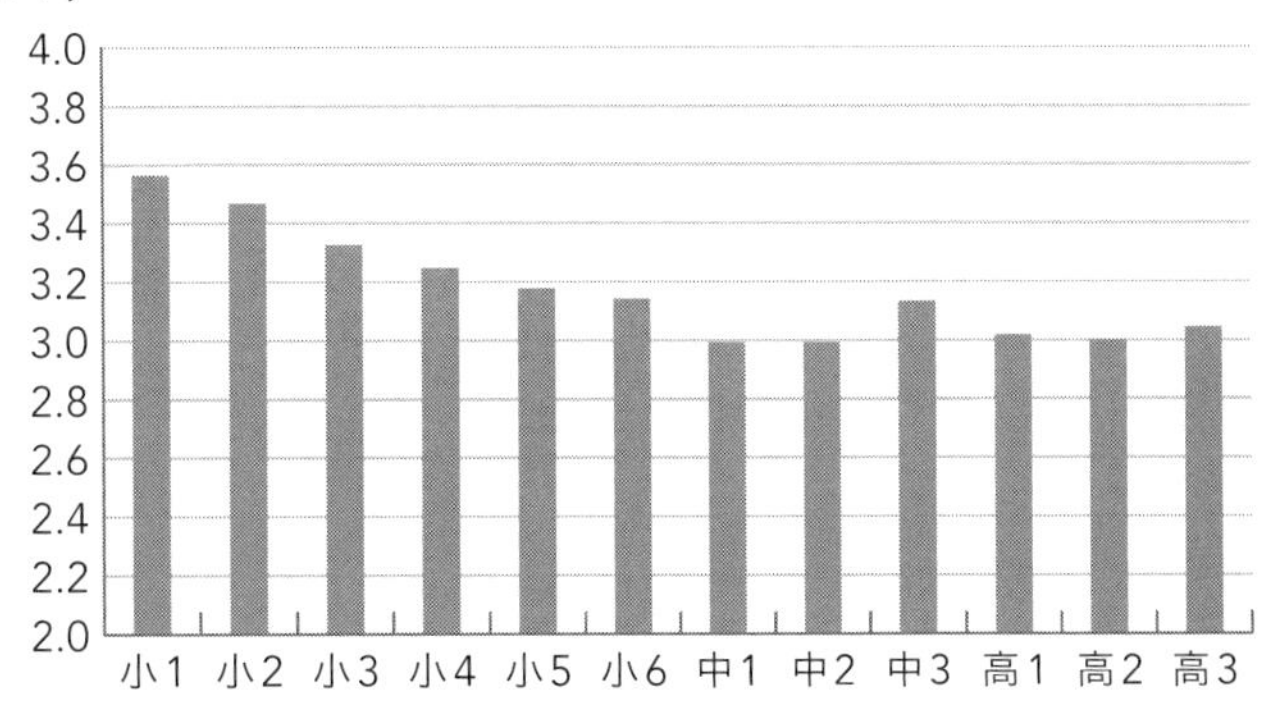

注：1. 東京都の小中高生に実施した「自尊感情や自己肯定感に関する意識調査」(2008年度) をもとに作成。
2. 自尊心は「自分のことが好きである」などの18問の質問項目に「思う」「どちらかというと思う」「どちらかというと思わない」「思わない」の4件法で回答し、各学年4点満点の指標で表されている。

出所：東京都教職員研修センター

こうして59ページ図8のように数値化された自尊心の指標を用いて、さまざまな研究が行われました。いくつかの研究では、自尊心が高いと学習意欲や学力が高く、未成年の喫煙や飲酒などの反社会的行為が少ない一方、大人になってからの勤務成績、幸福感、健康状態は良好な傾向が示されました。

これを受けて米国のカリフォルニア州では、「社会問題の多くは個人の自尊心が低いことに起因している」という考えから、1986年以降、州知事主導で自尊心にかんする大規模な研究プロジェクトを始動させました。

「子どもたちの自尊心を高めれば、学力や意欲が高まり、反社会的行為を未然に防止することができるのではないか」と期待してのことです。

自尊心は「結果」にすぎない

しかし、この大規模な研究プロジェクトは思いもよらぬ結果に終わりました。**自尊心が高まれば、子どもたちを社会的なリスクから遠ざけることができるという有力な科学**

的根拠は、ほとんど示されなかったのです。

それどころか、著名な心理学者であるフロリダ州立大学のバウマイスター教授らが過去の研究をまとめた丁寧なサーベイによって、「自尊心が高まると学力が高まる」というそれまでの定説は覆されました。[14] バウマイスター教授らは、自尊心と学力の関係はあくまで相関関係にすぎず、因果関係は逆である、つまり**学力が高いという「原因」が、自尊心が高いという「結果」をもたらしているのだと結論づけたのです。**[15]

また、別の大規模な高校生の追跡調査に基づく研究でも、学力の高い子どもの自尊心が結果として高くなっているだけであることが示されています。[16]

この研究では、高校1年のときに成績がよかった生徒が高校3年になったときに自尊心が高かったことは示されました。しかし、逆に高校1年のときに自尊心が高かった生徒は、高校3年になったときに成績がよかったかというと、そのような結果はみられなかったのです。

一連のこうした研究を受けて、バウマイスター教授らは、子どもの自尊心を高めるようなさまざまな取り組みは、学力を押し上げないばかりか、ときに学力を押し下げる効果を持つ、と警鐘を鳴らしました。

これに加えて、バージニア連邦大学のフォーサイス教授らが行った実験も、バウマイスター教授の主張を裏づける、大変興味深いものでした[17]。

フォーサイス教授らは、自分の授業の履修者のうち、最初の試験で成績の悪かった学生たちをランダムに2つのグループにわけ、毎週、メールで別のメッセージを送りました。

ひとつ目のグループ（＝処置群）には、宿題にかんする連絡とともに（「あなたはやればできる」というような）自尊心を高めるようなメッセージを送りました。一方、残りのグループ（＝対照群）には自尊心を高めるようなメッセージは送らず、かわりに宿題に関する事務的な連絡や、個人の管理能力や責任感の重要性を説くメッセージを送りました（図9）。

この結果、自尊心を高めるメッセージを受け取ったグループの学生は、受け取らなかったグループの学生よりも、期末試験の成績が統計的に有意に低かったことが示されました。この研究は、**学生の自尊心を高めるような介入は、学生たちの成績を決してよく**

図9　フォーサイス教授の実験

実験の設計

- 仮説：自尊心を高めることは、学生の成績を上げる因果効果を持つ
- 予想される結果：自尊心の高い学生の成績 > 自尊心の低い学生の成績
- 対象者：バージニア連邦大学の大学生

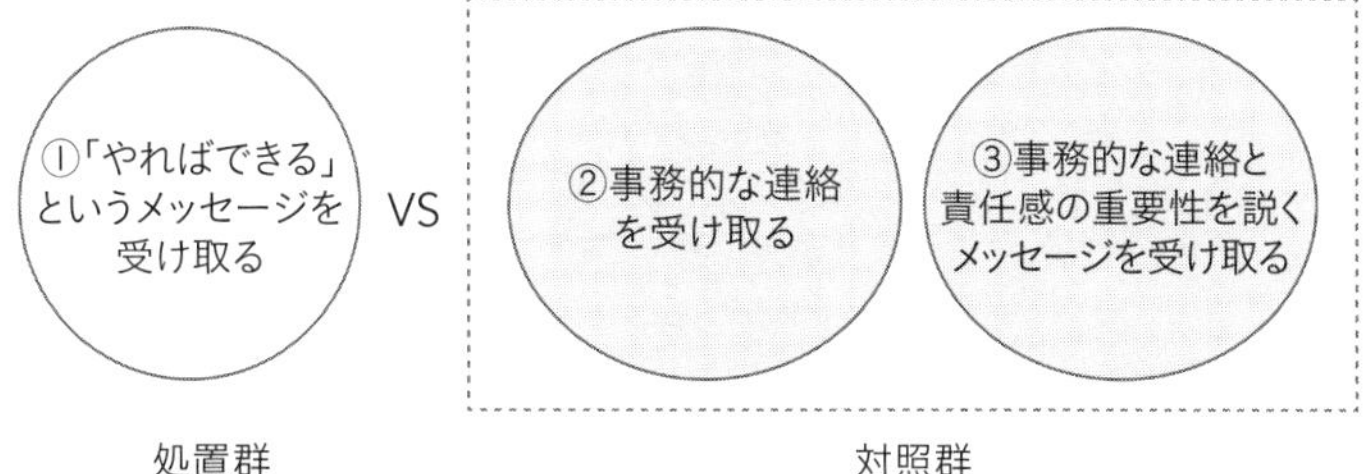

処置群（トリートメントグループ）　　対照群（コントロールグループ）

- 結果

最初の試験で成績が平均よりやや下だった学生　：①の成績 ＝ ②③の成績
最初の試験で成績が下位あるいは落第だった学生　：①の成績 < ②③の成績

出所：Forsyth, D. R., & Kerr, N. A. (1999). Are adaptive illusions adaptive? Boston, MA: American Psychological Association.

しないことを示しています。また、このような介入が、すべての学生に悪影響だったわけではなく、とくにもともと学力の低い学生に大きな負の効果をもたらしたということも明らかになっています。

つまり、悪い成績を取った学生に対して自尊心を高めるような介入を行うと、悪い成績を取ったという事実を反省する機会を奪うだけでなく、自分に対して根拠のない自信を持った人にしてしまうのです。

「あなたはやればできるのよ」などといって、**むやみやたらに子どもをほめると、実力の伴わないナルシストを育てることになりかねません**。とくに、子どもの成績がよくないときはなおさらです。

しかし、私は子どもをほめてはいけないといっているわけではないことを、ここであらためて強調しておきたいと思います。重要なのは、その「ほめ方」なのです。

「頭がいいのね」と「よく頑張ったわね」――どちらが効果的？

コロンビア大学のミューラー教授らは、ある公立小学校の生徒を対象にして「ほめ方」にかんする実験を行いました。[18] 6回にわたるこの実験の結果わかったことは、「**子どものもともとの能力（=頭のよさ）をほめると、子どもたちは意欲を失い、成績が低下する**」ということです。

ミューラー教授らの実験では、子どもたちをランダムに2つのグループに分けました。両方のグループの生徒がIQテスト（1回目）を受験しましたが、ひとつのグループの生徒に対しては、テストの結果がよかったときには「あなたは頭がいいのね」と、子どものもの**もともとの能力**を称賛するメッセージを伝えました。一方もうひとつのグループに対しては、「あなたはよく頑張ったわね」と、**努力**を称賛するメッセージを伝えました（66ページ図10）。

その後、ミューラー教授らは、同じ子どもたちに、かなり難しめのIQテスト（2回目）

図10　ミューラー教授らの実験設計

実験の設計

- 仮説：もともとの能力をほめることは、子どもたちの意欲を失わせる
- 予想される結果：努力をほめられた子の意欲>能力をほめられた子の意欲
- 対象者：10〜12歳の公立小学校の生徒

- 結果：努力をほめられた子の意欲 >能力をほめられた子の意欲

出所：Mueller, C. M., & Dweck, C. S. (1998). Praise for intelligence can undermine children's motivation and performance. *Journal of Personality and Social Psychology*, 75(1), 33をもとに筆者作成

を受けさせました。さらにはその後、最初に受けたのと同じ程度のＩＱテスト（３回目）を受けさせ、結果の推移を調べました。すると、もともとの能力をほめられた子どもたちは、成績を落としてしまったのに対し、努力をほめられた子どもたちは成績を伸ばしたのです（68ページ図11）。

ほめ方の違いは、子どもたちの取り組み方にも影響を与えました。

「頭がいいのね」ともともとの能力をほめられた子どもは、２回目の難しめのＩＱテストを受ける際、この試験のゴールは「何かを学ぶこと」ではなく、「よい成績を得ること」にあると考え、テストでよい点数が取れなかったときには、成績についてウソをつく傾向が高いことがわかったのです（図11）。

また、彼らは、よい成績が取れたときはその理由を「自分は才能があるからだ」と考えたように、悪い成績を取ったときも「自分は才能がないからだ」と考える傾向があったことがわかっています。

一方、「よく頑張ったわね」と努力した内容をほめられた子どもたちは、２回目、３回目のテストでも粘り強く、問題を解こうと挑戦を続けました。努力をほめられた子どもたちは、悪い成績を取っても、それは「（能力の問題ではなく）努力が足りないせいだ」

図11　ミューラー教授らの実験の詳細

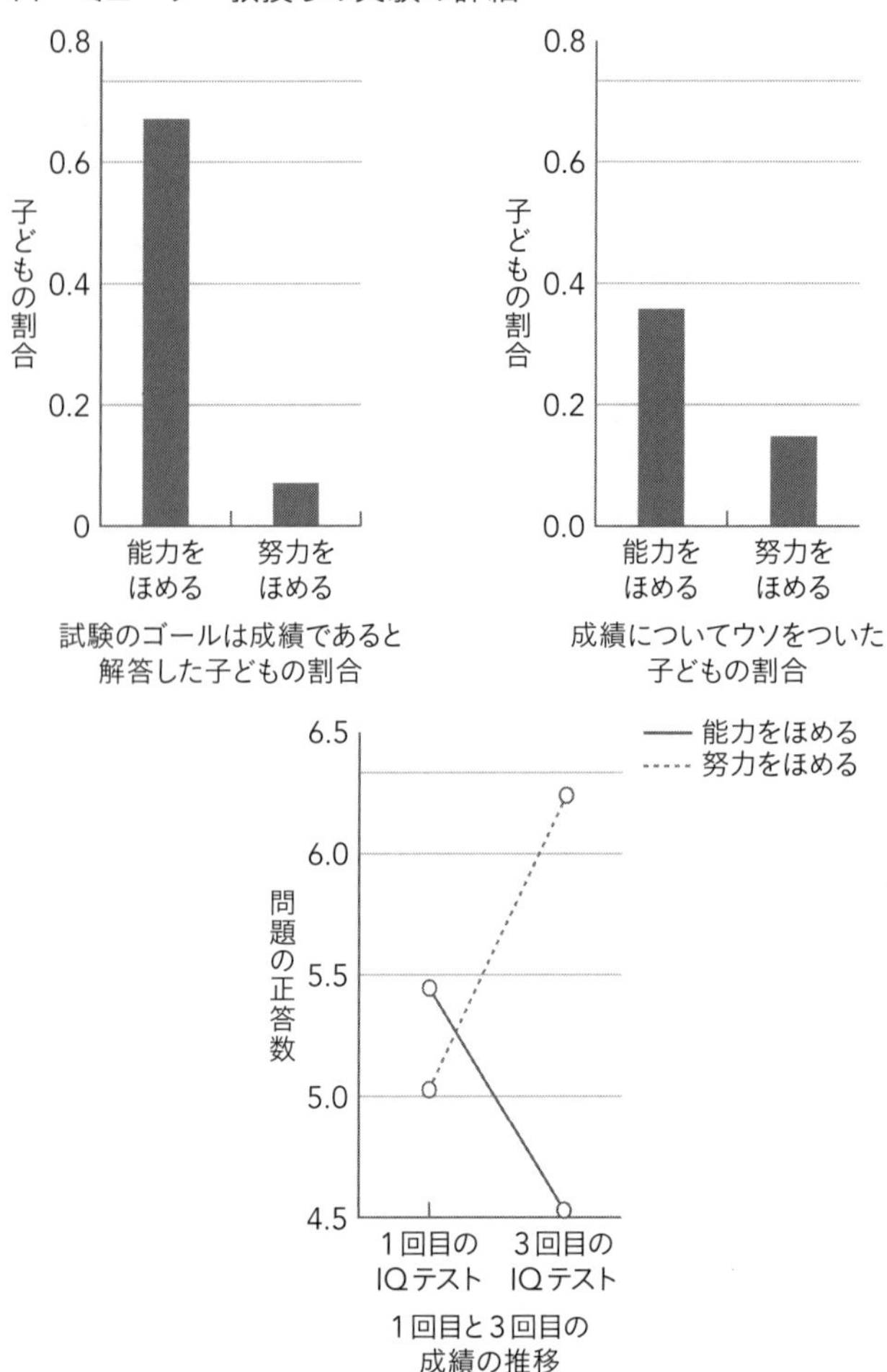

出所：Mueller, C. M., & Dweck, C. S. (1998). Praise for intelligence can undermine children's motivation and performance. *Journal of Personality and Social Psychology*, 75 (1), 33 のp37, p39, p43. をもとに著者作成

子どもをほめるときには、もともとの能力でなく、具体的に達成した内容を挙げることが重要

と考えたようです。

ミューラー教授らの論文のタイトルどおり、**「能力をほめることは、子どものやる気を蝕む」**（"Praise for intelligence can undermine children's motivation"）のです。

子どもをほめるときには、「あなたはやればできるのよ」ではなく、「今日は1時間も勉強できたんだね」「今月は遅刻や欠席が一度もなかったね」と具体的に子どもが達成した内容を挙げることが重要です。そうすることによって、さらなる努力を引き出し、難しいことでも挑戦しようとする子どもに育つというのがこの研究から得られた知見です。

テレビやゲームは子どもに悪影響を及ぼすのか

「子どもがテレビ、ゲーム（最近であればスマホなど）を利用する時間を制限すべきか」

これも私が友人たちから頻繁に受ける相談です。厚生労働省の「21世紀出生児縦断調査」によると、小学6年生の子どもは平日に2・2時間（休日には2・4時間）テレビを視聴し、1・1時間（休日には1・8時間）ゲームを使用していることが示されています（図12）。これは少なからぬ時間ですから、ご両親が心配されるのも当然でしょう。

テレビやゲームが子どもにもたらす悪影響を心配しているのは、日本の親だけではありません。たとえば、タイムズ紙は「テレビを観ることは、想像以上に子どもに悪影響をもたらす」というタイトルで、子どもがテレビを観ると肥満につながるという特集記事を書いていますし（2009年8月4日）、CNNも「暴力的なゲームをすると、子どもの問題行動が顕在化する」と警鐘を鳴らしています（2008年11月3日）。

しかし、ここでも「テレビやゲーム」と、「子どもの発達や学習」の関係が、因果関係なのか相関関係にすぎないのか、あらためて考える必要があります。

「テレビを観ると肥満になる」という仮説については、

図12　小学生がテレビやゲームをする時間

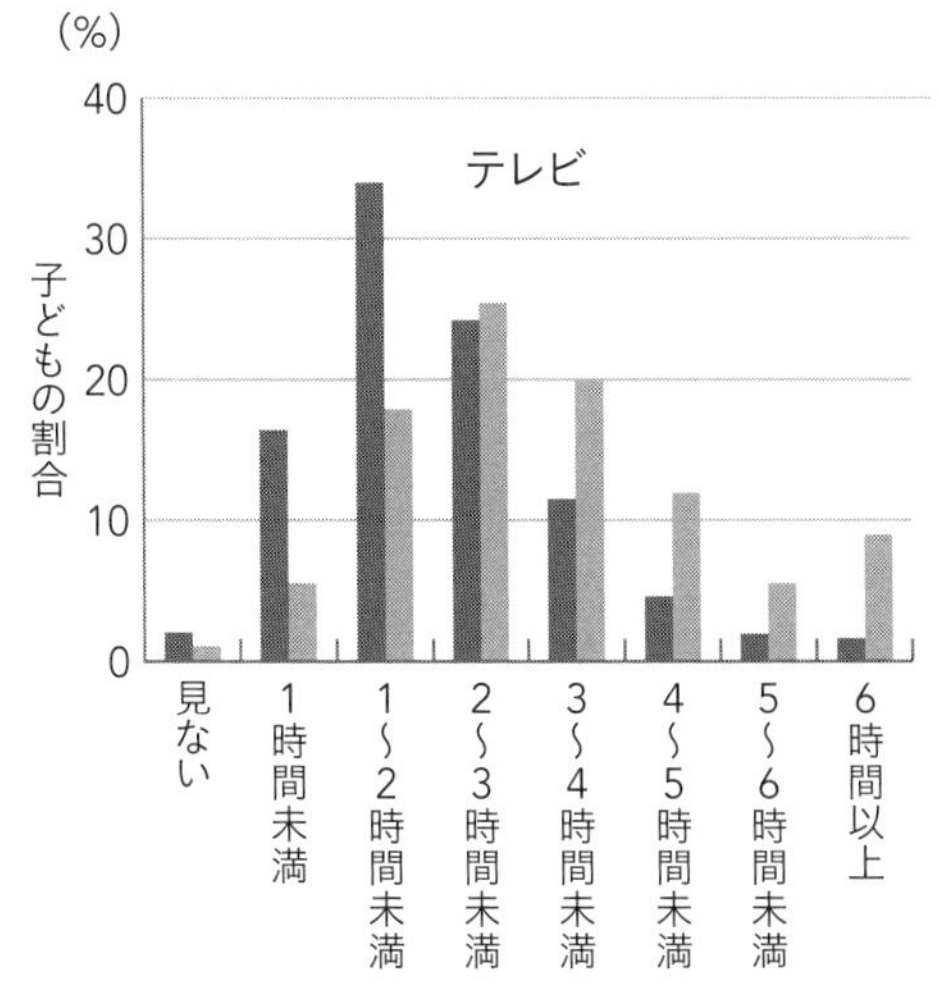

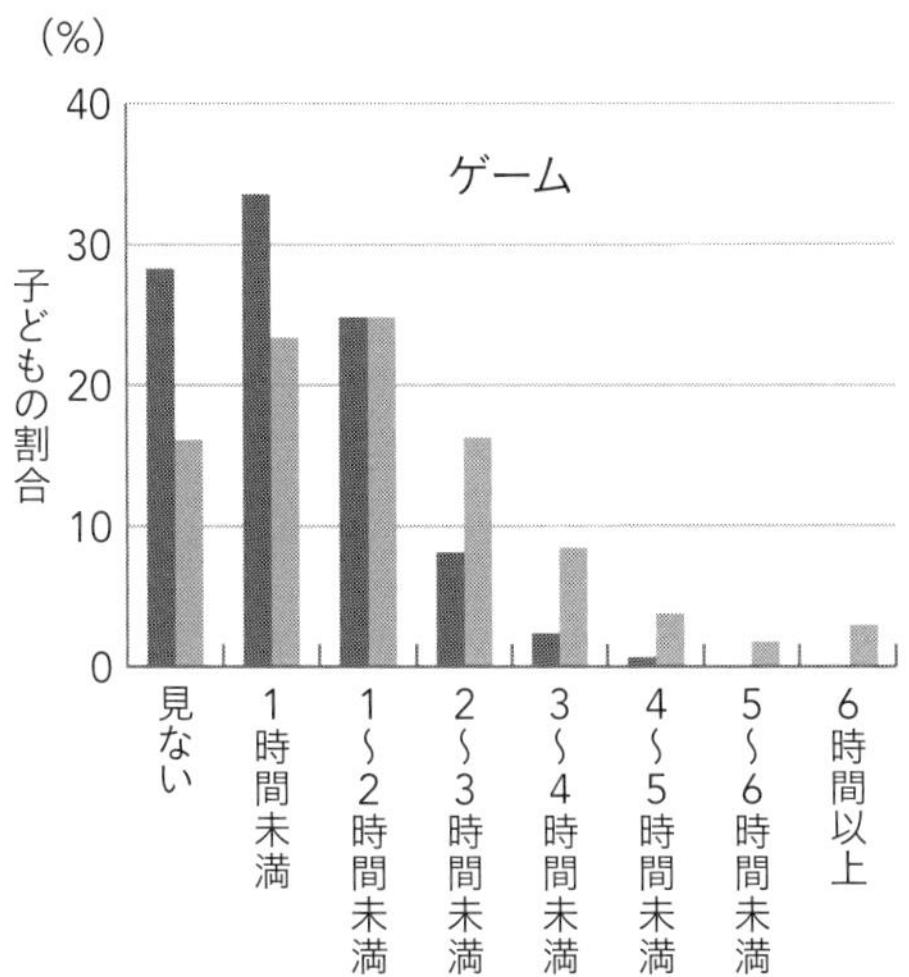

出所：厚生労働省「21世紀出生児縦断調査」（第12回）をもとに筆者作成

・テレビの視聴時間が長いから肥満になるのか（因果関係）
・肥満になるような生活習慣の子どもが長時間テレビを観ているのか（相関関係）

「暴力的なゲームをすると、子どもの問題行動が顕在化する」という仮説については、

・暴力的なゲームをすると子どもの問題行動が顕在化するのか（因果関係）
・もともと問題行動をするような子どもが暴力的なゲームを好むのか（相関関係）

の両方の可能性があり得るでしょう。どちらもそれなりにもっともらしく、可能性がありそうに思えます。

これまで、テレビの視聴時間と肥満、またはゲームの使用時間と問題行動の相関関係を調べた研究は相当数存在しています。そして、そうした研究のほとんどが、テレビの視聴時間と肥満、またはゲームの使用時間と問題行動には正の相関があることを示しています。

マスコミはやたらにこういった研究の結果を取り上げて、テレビやゲームの悪影響を

喧伝しますが、単に相関関係にすぎないのか、それとも因果関係なのかを、私たちは見極めなければなりません。

では、因果関係を調べた研究の結論はどういうものでしょうか。

それらの研究の多くは、**テレビやゲーム「そのもの」が子どもたちにもたらす負の因果効果は私たちが考えているほどには大きくないと結論づけています**。それどころか、シカゴ大学のゲンコウ教授らは、幼少期にテレビを観ていた子どもたちは学力が高いと結論づけているほか[19]、米国で行われた別の研究では、幼少期に「セサミストリート」などの教育番組を観て育った子どもたちは、就学後の学力が高かったことを示すものもあるのです[20]。

ゲームについても同じです。ハーバード大学のクトナー教授らは、中学生を対象にした大規模な研究によって、ゲームが必ずしも有害ではないことを明らかにしています[21]。それどころか、17歳以上の子どもが対象になるようなロールプレイングなどの複雑なゲームは、子どものストレス発散につながり、創造性や忍耐力を培うのにむしろよい影響があるとさえ述べています。**ゲームの中で暴力的な行為が行われていたとしても、それ**

を学校や隣近所でやってやろうと考えるほど、子どもは愚かではないのです。

これらはすべて米国のデータを用いて行われた研究ですが、ここで私が学習院大学の乾教授らとともに日本のデータを用いて実施した研究もご紹介しましょう[*]。私は、テレビやゲームが子どもの肥満や問題行動に与える影響に加えて、子どもの学習時間に与える影響も明らかにする研究を行いました[22][23]。

本来、因果関係を明らかにするためには、「実験」を行うのが有力な方法です。しかし、子どもが日ごろテレビを観たりゲームをすることについて、人為的な実験を行うことは倫理的に難しいので、ここでは実験以外の方法を用いて[**]、テレビやゲームが肥満や問題行動、学習時間に与える影響を調べています。

テレビやゲームをやめさせても学習時間はほとんど増えない

1時間テレビやゲームをやめさせたとしても、男子は最大1.86分、女子は最大2.70分、学習時間が増加するにすぎない

私たちの分析によると、テレビやゲームが子どもの肥満や問題行動、学習時間に与える影響は小さいことがわかりました。

ただし、たしかにテレビやゲームと、子どもの学習時間の間には負の因果関係があることが示されています。この意味では、テレビやゲームをやめさせれば、子どもの学習時間は増えるというのは間違いではないのです。しかし、問題はその大きさです。残念ながら、1時間テレビやゲームをやめさせたとしても、男子については最大1・86分、女子については最大2・70分、学習時間が増加するにすぎないことが明らかになりました。

テレビやゲームの時間を制限しても、子どもは自動的に机に向かって勉強するようにはなりません。子どもが勉強に取り組む姿勢が変わらないのに、テレビやゲームの時間を制限したら、たぶんそれに類似する他のこと——スマホでチャットをする、あるいはイ

＊この研究では、厚生労働省の「21世紀出生児縦断調査」という2001年1月と7月の第2週に日本で生まれた子ども約53000人を10年以上追跡している統計調査が用いられた。

＊＊この研究で用いられた因果関係を明らかにする実験以外の方法は「操作変数法」という。

1日1時間までならテレビもゲームも問題ない。2時間以上だと、学習時間などへの負の影響が大きくなる

ンターネットで動画を観るなど――に時間を費やすだけです。

少なくとも、子どもを勉強させるためにテレビやゲームの時間を制限するのは、あまり有効な方法とはいえないのです。

テレビとゲームが学習時間にもたらす因果効果が小さいのは事実です。ただし、これは「テレビやゲームを無制限に観せても問題ない」ことを意味しているのではありません。

私たちの研究では、テレビ視聴やゲーム使用の時間が長くなりすぎると、子どもの発達や学習への悪影響が飛躍的に大きくなることが示されています。

それでは、どれくらいのテレビ視聴やゲーム使用だったら無害なのでしょうか。私たちの推計によると、1日に1時間程度のテレビ視聴やゲーム使用が子どもの発達に与える影響は、まったくテレビを観ない・ゲームをしないのと変わらないことが示されています。一方、1日2時間を超えると、子どもの発達や学習時間への負の影響が飛躍的に大きくなることも明らかになっています。

子どもが、1日1時間程度、テレビを観たりゲームをしたりすることで息抜きをする

ことに罪悪感を持つ必要はありません。

「テレビやゲームは有害だ」というのは、その昔「ロックンロールを聞くと不良になる」といわれたのと同様、単に人々の直感的な思い込みを強く反映した時代遅れのドグマにすぎないのです。

「勉強しなさい」はエネルギーの無駄遣い

テレビやゲームをやめさせることにほとんど意味がないならば、子どもの学習時間を増やすためには、何をすればよいのでしょうか。

私たちの研究では、小学校低学年の子どもを持つ親が家庭での学習にどのようにかかわっているかを、

- 勉強をしたか確認している
- 勉強を横について見ている

・勉強する時間を決めて守らせている
・勉強するように言っている

の4つの項目において、親自身の自己評価をもとに、2点満点で点数化しました。項目は4つあるので、最高点は8点、最低点は0点となります。

その結果は、母親は平均点が5・89、父親は平均点が2・69となり、母親はかなり積極的に子どもの学習にかかわっている一方、父親はそうでもないことがみてとれます。

そして、その父母それぞれのかかわり方が、どの程度子どもの学習時間の増加に貢献しているのかを表したのが、図13になります。*

この結果から、面白いことがわかりました。

*この推計においては、家族構成や親の年収、通塾の有無などに加え、遺伝などの観察できない要因が子どもの学習時間に与える他の要因を取り除いている。

図13　小学校低学年の子どもの学習に対する両親のかかわりの影響

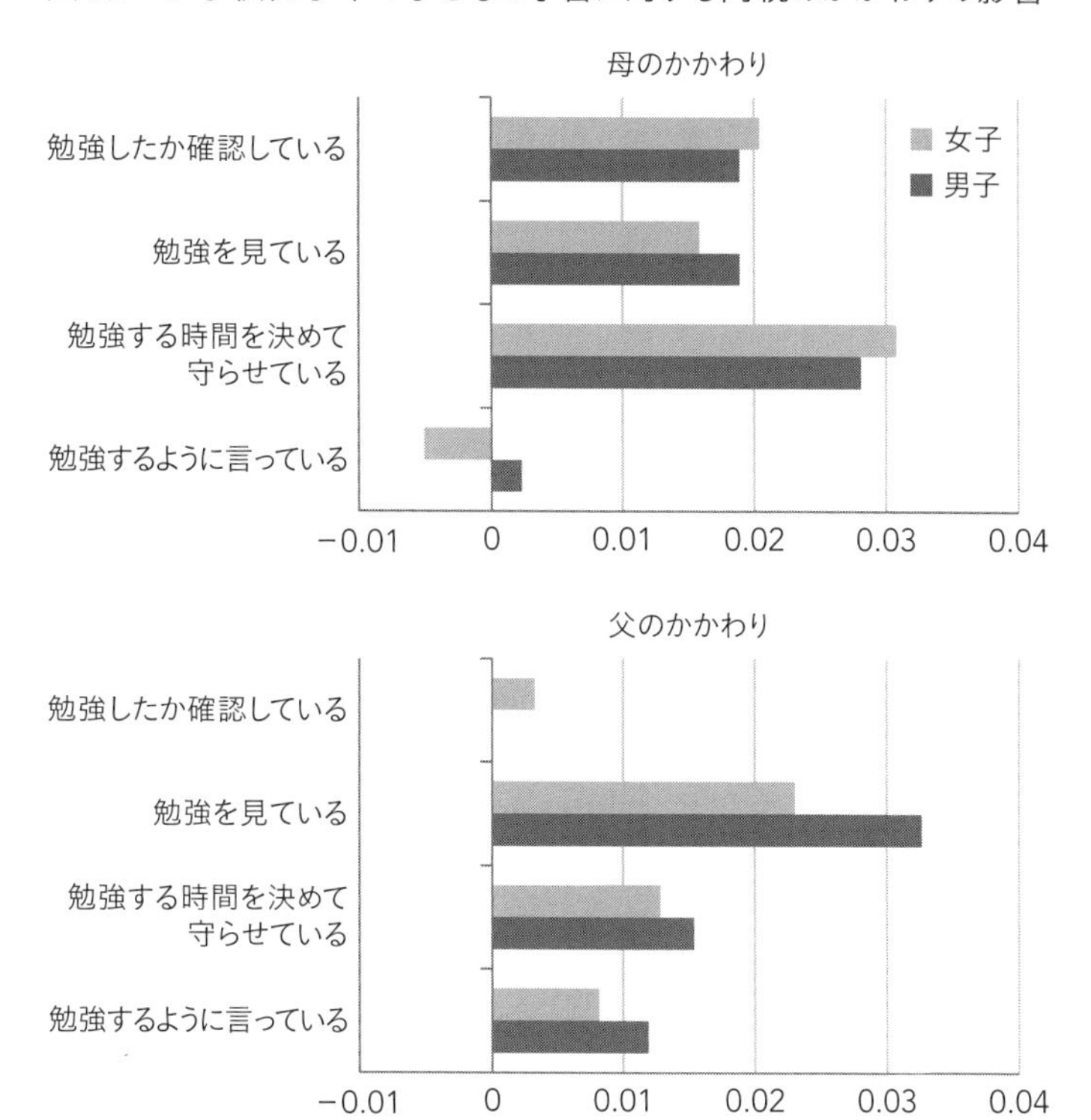

注：1. 図表の棒グラフは、数値が正の値で高いほど子どもの学習時間を増加させる効果が高いことを意味する。
　　2. 親のかかわりの度合いは、各項目2点満点で数値化され、子どもや親にかんする観察不可能な要因（子ども自身の能力や親の教育熱心さなど）を制御した固定効果と呼ばれるモデルを推計した結果をグラフ化したもの。

出所：Nakamuro, M., Matsuoka, R., & Inui, T. (2013). More time spent on television and video games, less time spent studying? RIETI Discussion Paper Series No. 13-E-095

① お手軽なものに効果はない

まず、父母ともに「勉強するように言う」のはあまり効果がありません。**むしろ、母親が娘に対して「勉強するように言う」のは逆効果になっています。**

「勉強するように言う」のは親としても簡単なのですが、この声かけの効果は低く、ときには逆効果になります。エネルギーの無駄遣いなので、やめたほうがよいでしょう。

逆に、「勉強を見ている」または「勉強する時間を決めて守らせている」という、親が自分の時間を何らかの形で犠牲にせざるを得ないような手間暇のかかるかかわりというのは、かなり効果が高いことも明らかになりました。

② 男の子なら父親が、女の子なら母親がかかわるとよい

家庭での学習へのかかわり方は母親に比べて低い父親ですが、世の中のお父さんたちは決して自分の役割を侮ってはいけません。なぜなら、子どもと同性の親のかかわりの効果は高く、とくに男の子にとって父親が果たす役割は重要だからです。

最近の研究でも、とくに苦手教科の克服には、同性同士の教師と生徒の組み合わせのほうが有効であるなど、類似の知見が得られているものがあります。[24]

ここまで読んで、うんざりしたご両親も多いかもしれません。

「子育てとは、なんて手間暇のかかることなのか。『テレビを観るのをやめなさい』とか『勉強しなさい』というだけではダメで、横について勉強を見たり、勉強する時間を決めて守らせないといけないなんて」と。しかも最近では共働きの世帯も多く、子どもの学習にかかわる時間が十分に取れない方も少なくありません。

しかし、ここで朗報があります。実は、私たちの研究では、祖父母や兄姉、あるいは親戚などの「その他の同居者」が、子どもの横について勉強を見たり、勉強する時間を決めて守らせていても、親とあまり変わらない効果が見込めることがわかっているのです。

2000年にノーベル経済学賞を受賞したシカゴ大のヘックマン教授は、インタビューで次のように答えています。「親自身が働いていたりして思うように時間を割けなけ

子どもの学習時間を増やすには手間暇がかかるが、
親以外の親族、先生などの助けを借りてもよい

れば、できる限り時間を割きながらも、部分的に何らかの『助っ人』を頼んで、時間不足を補えばいいのです。かえって親の力量では与えられないような刺激を与えることにもなり、それは本人にも、社会にも良いことでしょう」（日経ビジネスオンライン、2014年11月17日）

すべてを親が抱え込む必要はありません。困ったときは、学校や塾、家庭教師の先生なども含む身近な人に頼ってよいのではないかと、私は思います。

「友だち」が与える影響

大学の卒業式では、「よい友人に恵まれて、素晴らしい時間を過ごすことができた」という感謝の言葉が聞かれることが多いものです。それに比べると（私だけかもしれませんが）「よい先生に恵まれて」という言葉が一向に聞こえてこないのは、大学生にとって友人は、教員よりもはるかに強く影響を受ける存在だからなのでしょう。

親もまた、友人から受ける影響力の重要性をよく理解されているはずです。親が、子どもになるべく偏差値の高い学校に行ってほしいと思うのは、学力の高い友人から影響を受けて、自分の子どもの学力も高くなってほしいと考えるからでしょう。

逆もまた然りで、子どもが友だちからの悪い誘いを断れずに悪影響を受けてしまっているのではないか、と心配する人もいます。このように友人や周囲から受ける影響のことを、よいものも悪いものも、経済学では「ピア・エフェクト」と呼びます。

ここではピア・エフェクトの効果を、

① 同じ学級や学年の子どもたちの「平均的な学力」から受ける影響
② 優秀な同級生から受ける影響
③ 問題児から受ける影響
④ 同じような学力の子どもたちで集団を形成すること（習熟度別学級）の影響

に分けて、エビデンスを中心にご紹介していきます。

① 同じ学級や学年の子どもたちの「平均的な学力」から受ける影響

この分野において代表的なものは、スタンフォード大学のホックスビィ教授の研究です。[25] ホックスビィ教授が分析に用いた米国テキサス州の小学校の3～6年生のデータでは、子どもたちの在籍する学校や学年における男女比はかなりばらつきがありましたが、平均的に女子の学力が高いという状況でした。そのため、偶然にも学年に女子が多い場合、その学年の子どもたちの平均的な成績は高くなるという状況が生じました。*

これは人為的な実験として設計された研究ではありませんが、人為的に実験を行ったのとよく似た状況が、たまたま（自然に）発生していることから、「自然実験」と呼ばれます。「あたかも実験したかのような状況が再現されている」ということを利用して、同級生の学力が偶然高くなってしまった子どもたち（＝処置群）と、ならなかった子どもたち（＝対照群）を比較したのです。

平均的な学力の高い友だちの中にいると、自分の学力にもプラスの影響がある

ホックスビィ教授は、周囲の子どもの学力が偶然高くなってしまったことが、子どもたちの学力の変化にどのような因果効果を持つのかを明らかにしようとしました。その結果、女子が偶然多くなった学年では、女子が少ない学年と比べて、男女ともに成績が高くなったことが報告されています。

ホックスビィ教授の推計によると、同級生の国語の平均点が1点上がると、自分自身の点数が0・3〜0・5点上がる程度の効果があり、数学にいたっては、同級生の平均点が1点上がると、自分自身の点数が1・7〜6・8点も上がるという大きな効果がみられています。

ホックスビィ教授の研究以外にも、学年途中の引っ越しで、偶然男女比が大きく変わってしまったケースなどを用いた検証が行われましたが、やはり学力の高い女子の比率が高くなると、学年全体の平均的な学力に正の因果効果が確認されるという結果になっ

＊多くの研究で、男子よりも女子のほうが成績がよいことが明らかになっている。学年が上がると徐々に理数系の科目などで男子の点数が高くなる傾向があるが、ほとんどの学年において女子のほうが成績が高い。この理由には諸説あるものの、はっきりとしたことはいまだによくわかっていない。

ています。また、米国だけでなく、欧州6か国、チリ、中国などでも行われた研究においても、同様の結論が得られました。[26] **学力の高い友だちの中にいると、自分の学力にもプラスの影響があるのです。**

② 優秀な同級生から受ける影響

以上の結果をみれば、優秀な子どもと付き合うことが得策なようです。

多くの学校や塾が成績優秀者を特待生として入学させていますが、これらも、その成績優秀者が周囲にもよい影響を与えると期待してのことでしょう。しかし、優秀な子どもさえいれば、子どもの学力は大きく上昇するかというと、必ずしもそうとはいえません。

実は、学力の高い優秀な友人から影響を受けるのは、そのクラスでもともと学力の高かった子どものみなのです。中間層やもともと学力の低い子どもたちは、何ら影響を受けないことがわかっています。それどころか、自分のクラスに学力の高い優秀な友人がやってきた場合、もともと学力が低かった子どもには、マイナスの影響があることを示す研究もあります。

なぜ、学力の高い優秀な友人は、もともと学力の低かった子どもにマイナスの影響を与えるのでしょうか。

スウェーデンの高校生のデータを用いた研究は、学力の高い同級生の存在が、学力の低い生徒の自信を喪失させ、大学への進学意欲を失わせたことを明らかにしました[27]。この意味では、**学力の高い友だちと一緒にいさえすれば、自分の子どもにもプラスの影響があるだろうと考えるのは間違っています。**むしろ、レベルの高すぎるグループに子どもを無理に入れることは、逆効果になる可能性すらあるのです。

③ 問題児から受ける影響

次に、問題児から受ける影響についてみてみましょう。そもそも大規模なサンプルを対象にした調査では、「どの子が問題児か」を突き止めるのは難しいのですが、これに挑戦したのがノースウェスタン大学のフィグリオ教授です[28]。

フィグリオ教授は、「女子のような名前をつけられた男子は、その名前をからかわれるなどしていじめられた経験を持つため、問題行動を起こしやすい」という事実に注目して研究を行い、**問題児の存在が、学級全体の学力に負の因果効果を与えることを明らかにしました。**

また、親から虐待を受けている子どもがいる学級では、学級運営が難しくなり、結果として他の子どもの学力が下がる傾向があることが明らかにした研究もあります[29]。この研究では、1人の問題児によって、他の児童が新たな問題行動を起こす確率は17％も高くなると推計されています。

問題を抱える子どもを放置しておくことなく、速やかに十分なケアを行うこと。これは、本人のためだけでなく、他の子どもたちへの負のピア・エフェクトから考えても妥当だといえるでしょう。

学力以外の問題行動への影響を調査した研究にも触れておきましょう。大学生を対象とした研究では、友人の問題行動の波及効果の大きさをうかがい知ることができます。

しかし、「類は友を呼ぶ」という言葉もあるくらいですから、本当に友だちのせいなのか、単にもともと似た者同士が友だちだったのかは明確に区別せねばなりません。

そこで、ノースウェスタン大学のダンカン教授らは、「偶然友だちになった」という環境として、寮のルームメイトが抽選で割り当てられるという自然実験的環境を利用しました。[30] この場合、ルームメイトはランダムに決まるわけですから、「類が友を呼ぶ」可能性はありません。ルームメイトからどのような影響を受けるのかは、ピア・エフェクトの因果効果だといえるわけです。

この結果、ルームメイトから「成績」に対して受ける因果効果はほとんどない一方で、「行動」に対して受ける因果効果は大変大きなものだということがわかりました。その最たるものが飲酒です。高校時代に飲酒をしていた学生は、ルームメイトが飲酒をする場合には、さらに大酒飲みになることが明らかになったのです。

④ 同じような学力の子どもたちで集団を形成すること（習熟度別学級）の影響

さて、ここまででわかったことは、ピア・エフェクトがプラスに働くのは「あくまで同じ程度の学力の子どもたちが互いに影響を受けるとき」だということでした。その点において、「同じような学力の子どもたち」を同じ学級に編成する習熟度別学級は、まさにこのピア・エフェクトがもたらす正の効果を強めるためのものだといえます。

最近の研究では、**習熟度別学級は、ピア・エフェクトの効果を高め、特定の学力層の子どもたちだけではなく、全体の学力を押し上げるのに有効な政策である**ことを明らかにするものも出てきています。

習熟度別学級がとくに大きな効果をもたらしたのは、もともと学力が低かった子どもたち

ジョン・ベイツ・クラーク賞の受賞者でもあるマサチューセッツ工科大のデュフロ教授らがケニアの小学校で行った実験では、習熟度別学級を導入した小学校（＝処置群）と、習熟度別ではない通常学級の小学校（＝対照群）を比較しました。その結果、「教員が習熟度に合わせて指導をすることができるならば、習熟度別学級はすべての学力層の子どもの学力を上げる大きな因果効果を持つ」ことが明らかになりました[31]（図14）。

しかも、この研究で**習熟度別学級により、とくに大きな学力上昇がみられたのは、もともとの学力が低い子どもたちでした。**さらに、習熟度別学級には持続力もあったことがわかっています。習熟度別学級をやめた後も、習熟度別学級を導入していた小学校では、1年以上も学力が高い状態が続いたのです。

図14　デュフロ教授らの実験

実験の設計

- 仮説：習熟度別学級は子どもの学力を高める
- 予想される結果：習熟度別学級の対象になった学校に通う子どもの成績>
対象にならない学校に通う子どもの成績
- 対象者：ケニアの121の公立小学校

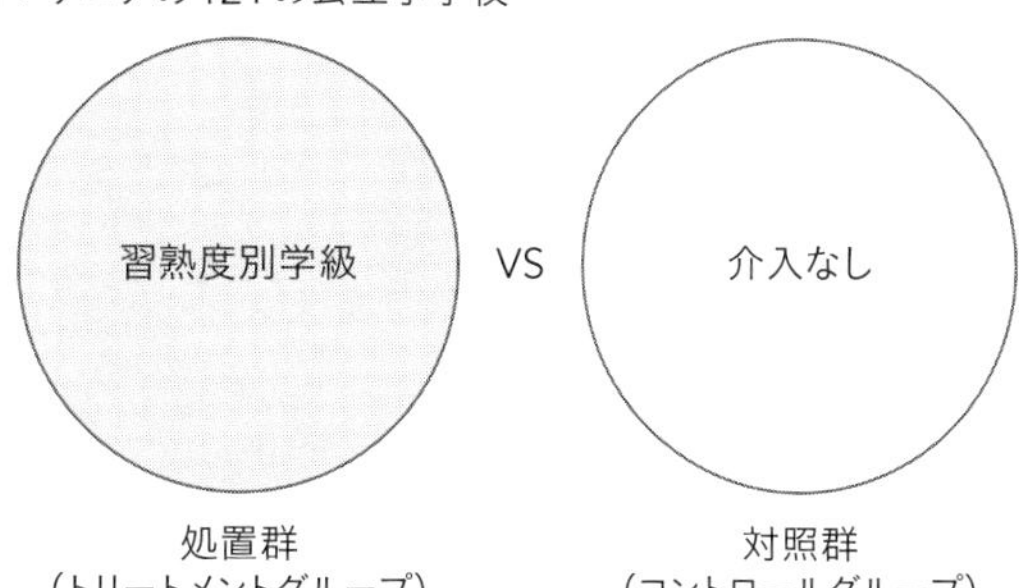

- 結果：習熟度別学級の対象になった学校に通う子どもの成績>対象にならない学校に通う子どもの成績

出所：Duflo, E., Dupas, P., & Kremer, M. (2011). Peer Effects, Teacher Incentives, and the Impact of Tracking: Evidence from a Randomized Evaluation in Kenya. *The American Economic Review*, 101(5), 1739-1774をもとに筆者作成

なぜ、習熟度別学級は子どもたちの学力を上げるのでしょうか。それは、子ども同士も、自分と同程度の学力の子どもたちと一緒になることで、他者と比較して意欲を失うことなく、互いに助け合うことができるためだと考えられます。また、同じ学級に同程度の学力の子どもを集めることによって、教員のほうも、子どもたちの理解度やペースに合わせた指導が可能になるのでしょう。

しかし、習熟度別学級の導入を考えるうえでは、注意が必要なこともあります。国単位のデータを用いたスタンフォード大学のハヌシェク教授の研究では、**子どもの学齢が低い時に習熟度別学級を実施すると、格差が拡大し、平均的な学力も下がってしまうと指摘されています。**[32] 習熟度別学級が、正のピア・エフェクトを持つと同時に、子どもたちの学力格差を拡大させることがないかという点には、慎重な検討が必要とされるでしょう。[33]

「悪友は貧乏神」からどう逃れるか

一連の研究から明らかなことは、**子どもや若者は、飲酒・喫煙・暴力行為・ドラッグ・カンニングなどの反社会的な行為について、友人からの影響を受けやすいということです。**仏教には「悪友は貧乏神」という言葉がありますが、まさにそういうことなのかもしれません。学校としては、悪影響の広がりを抑えるため、問題行動を起こす子どもへの介入はなるべく早い段階で行うべきでしょう。

一方、親にできることは何でしょうか。もし今、お子さんが直面している負のピア・エフェクトの影響があまりにも大きいと感じられているなら、思い切って引っ越しをするのもひとつの選択かもしれません。

私がそう考える根拠となった研究をご紹介します。アメリカの5都市で行われた「新たなチャンスへの引っ越し」(Moving to Opportunity)と命名された実験です[34]。

この実験では、ランダムに選ばれた貧困世帯に対して、経済的に裕福な人々が暮らす

引っ越しという強制的な環境の変化が負のピア・エフェクトを小さくし、子どもを守ることもある

高級住宅地の家賃が無料になる家賃補助券を提供し、引っ越しを促しました。この家賃補助券に当選した家族（＝処置群）の多くは引っ越していき、補助券に当選しなかった家族（＝対照群）は引き続き貧困層が多く居住する地域で生活を続けました。この結果、引っ越した家族の子どもが窃盗や暴力で逮捕される確率は、引っ越さなかった家族の子どもよりも統計的に有意に低かったことがわかりました。引っ越しが、負のピア・エフェクトから子どもを救ったのです。

英国にて行われた、公営住宅が一部のみ取り壊され、引っ越しを強制された家族とされなかった家族がランダムに分かれたという自然実験的な環境を利用した研究でも、同様の知見が得られています。この研究では、問題行動のあった子どもたちが、今まで住んでいた地域から離れたことによって、学校に対する態度が前向きになり、問題行動が減少したことが明らかになっています。[35]「ところ変われば水変わる」といいます。これらの研究は**引っ越しによって、友人が変わり、生活習慣が変わり、その結果、負のピア・エフェクトが小さくなって、本来の自分に戻ることができたということを示しているのです。**

子ども自身が、悪い友だちから自分を守るための術を身につけていれば理想的ですが、たびたび起こる少年・少女グループによる犯罪をみても、子ども自身の力だけでは抗えないこともあるのかもしれません。

「引っ越すと子どもに負担が大きいのでは」と心配し、ためらってしまうご両親も多いはずです。しかし、半ば強制的に環境を変えるという選択が、子どもたちの人生を守ってくれるかもしれないということは心に留めておいていただきたいと思います。

教育にはいつ投資すべきか

文部科学省の調査によると、家計が大学卒業までに負担する平均的な教育費は、幼稚園から大学まですべて国公立の場合でも約1000万円、すべて私立の場合では約2300万円に上ります。日本政策金融公庫の調査では、子どもがいる家庭は、なんと年収の約40％をも教育費に使っているそうです。

なぜ、これほどまでに親は子どもの教育にたくさんのお金をかけるのでしょうか。もちろん、子どもにたくさんのことを学んでほしいというお気持ちもあるでしょうが、教育を受ければ将来の収入が高くなるという期待もまた、あることと思われます。

経済学では、「将来子どもが高い収入を得るだろうと期待して、今子どもの教育に支出をする」のは「将来値上がりすると期待して株を買う」のと同じ行為だと考えます。もう少し経済学的に表現すれば、教育から得られる「便益」から教育に支払う「費用」を引いた「純便益」が最大化するように、家計は教育投資の水準を決定しています。

これが、1992年にノーベル経済学賞を受賞したシカゴ大学のベッカー教授が提唱した「人的資本論」という考え方です。[36]詳細はここでは述べませんが、この理論の根幹をなしているのは、**教育を経済活動としてとらえると、将来に向けた「投資」として解釈できる**という考え方です。

一般に「投資」というと、株や債券などを思い浮かべる人が多いでしょう。株や債券に投資をするときに、人々は「収益率」というものを気にします。もし、教育も投資ならば、その「収益率」を考慮するのは自然な行為です。前章でも簡単に紹介しましたが、経済学では、「1年追加的に教育を受けたことによって、子どもの将来の収入がどれくらい高くなるか」を「教育の収益率」として数字で表します。

子どもへの教育を「投資」と表現することに抵抗のある人もいるかもしれませんが、あくまで教育を経済的な側面からみれば、そう解釈できるということにすぎません。

子どもの将来の収入は、自立した生活を送るためには大変重要ですから、「どういう教育がわが子にとっていい教育なのか」を考えるときに、収益率を考える現実感覚を持っておくことは決して損にはならないはずです。

もちろん、子どもに教育を受けさせる理由は、金銭的な動機だけではないと考える人もいるでしょう。その場合は、人的資本論における「収益」の中に、「教育を受ける喜び」などの非金銭的なものも含めて考えればよいのです。これは金銭的な収益ほど簡単ではないものの、さまざまな仮定を置いて数値化する方法が提案されています。

前置きが長くなりました。ここからは、「子どもの教育に時間やお金をかけるとしたらいつがいいのか」という疑問に答えるために経済学者が推計した、各教育段階における人的資本の収益率の違い、つまり小学校、中学校、高校、大学、大学院それぞれの収益率がどのくらい違うのかということをご紹介しましょう。

これまでの研究が明らかにしているところによると、人々は「教育段階が高くなればなるほど教育の収益率は高くなる」と信じているようです。つまり、子どもの成功のためには、小学校よりも中学校、中学校よりも高校、高校よりも大学や大学院と、学齢が上がるほどかけるお金や時間を増やすべきだと。

たしかに、大学や就職先選びなど大事な選択の直前をどう過ごすかが、その人の人生により大きな影響を与えるのではないかと考えるのは理にかなっています。このため人々は、子どもが小さいときはお金を貯めておき、そのお金を子どもが高校や大学に行くときに使おうとするのです。

しかし、教育経済学はこの思い込みを真っ向から否定します。教育経済学の研究蓄積にはまだまだ議論が収束しないテーマも多いのですが、どの教育段階の収益率がもっとも高いのか、と聞かれれば、ほとんどの経済学者が一致した見解を述べるでしょう。

人的資本への投資は
とにかく子どもが小さいうちに行うべき

もっとも収益率が高いのは、子どもが小学校に入学する前の就学前教育（幼児教育）です。

100ページの図15は、ノーベル経済学賞を受賞したヘックマン教授らの著書で用いられた、人的資本投資の収益率を年齢別（またはライフステージ別）に表したもので、縦軸は人的資本投資の収益率、横軸は子どもの年齢を表しています。[37]

図15からも明らかなように、人的資本投資の収益率は、子どもの年齢が小さいうちほど高いのです。就学前がもっとも高く、その後は低下の一途を辿っていきます。そして、一般により多くのお金が投資される高校や大学の頃になると、人的資本投資の収益率は、就学前と比較すると、かなり低くなります。

ヘックマン教授らのエビデンスに基づく概念図は、**人的資本への投資はとにかく子どもが小さいうちに行うべき**だということを示しています。

ただし、ここで「明日からでもわが子を学習塾に通わせよう」と考えるのは拙速です。

図15　人的資本投資の収益率（概念図）

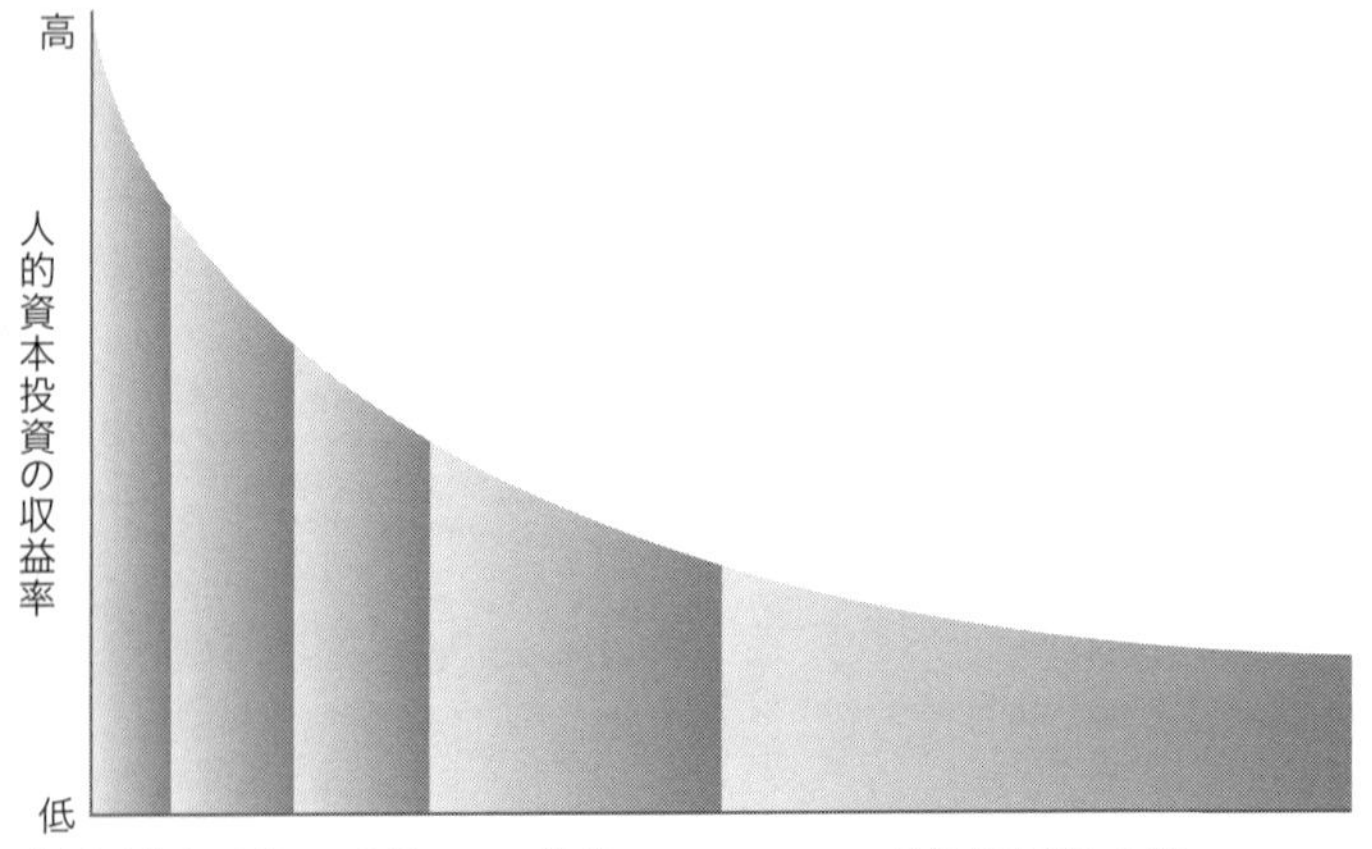

注：1. 縦軸は人的資本の収益率を表し、横軸は子どもの年齢を表す。
2. 生まれる前の人的資本への投資は、母親の健康や栄養などに対しての支出を指す。
出所：Heckman, J. J., & Krueger, A. B. (2005). *Inequality in America: What role for human capital policies*. MIT Press Books.

「教育」と限定せずに「人的資本」への投資、という言い方をしたのには理由があります。

人的資本とは、人間が持つ知識や技能の総称ですから、人的資本への投資には、しつけなどの人格形成や、体力や健康などへの支出も含みます。必ずしも勉強に対するものだけではないのです。学力以外の能力はとても重要ですから、この後、章を分けて詳しく述べることにします。

幼児教育の重要性

なぜ、就学前の子どもの人的資本投資の収益率は高いのでしょうか。

ひとつは、人生の初めの段階で得た知識は、その後の教育で役に立つからです。九九ができないと因数分解ができず、因数分解ができなければ、微分積分もできません。

この主張の根拠となっているのは、シカゴ大のヘックマン教授らの研究業績です。[38][39] ヘックマン教授らは、1960年代から開始され、現在も追跡が続いているミシガン州のペリー幼稚園で実施された実験に注目しました。

「ペリー幼稚園プログラム」と呼ばれるこの就学前教育プログラムは、低所得のアフリカ系米国人の3~4歳の子どもたちに「質の高い就学前教育」を提供することを目的に行われ、今なおさまざまなところで高く評価されています。このプログラムでは、

・幼稚園の先生は、修士号以上の学位を持つ児童心理学等の専門家に限定
・子ども6人を先生1人が担当するという少人数制
・午前中に約2・5時間の読み書きや歌などのレッスンを週に5日、2年間受講
・1週間につき1・5時間の家庭訪問

という非常に手厚い就学前教育を提供しました。

さらに、このプログラムでは、貧困家庭が直面する「家庭の資源」の不足を補うため、子どもだけでなく、親に対しても積極的に介入が行われました。


ここで、経済学でよく用いられる「資源」という言葉について述べておきたいと思い

ます。学力など、「アウトプットを生み出すために必要とされるインプット」はすべて「資源」と呼ばれます（44ページの教育生産関数を参照）。具体的には、親の収入が少なかったり、仕事が忙しくてあまり子どもにかまってやれないというようなことも「家庭の資源」の不足とみなします。

そうした貧困家庭の資源の不足を補うために、ペリー幼稚園プログラムでは、週に1度1・5時間ほどの家庭訪問を行い、先生たちが普段どのように子どもと遊び、話しかけるかを実際にやってみせるなど、親に学びの機会を提供したのです。

ペリー幼稚園プログラムは、入園資格のある子どもたちのうち、ランダムに選ばれた58人の入園を許可された子ども（＝処置群）と、65人の運悪く入園を許可されなかった子ども（＝対照群）を比較するという実験によって、その効果の測定が行われました。この実験は非常に小規模なものでしたが、その結果がのちに極めて高く評価されたのは、対象者に対して、この後約40年にわたる追跡調査が行われたからです。

図16　ペリー幼稚園プログラムの効果

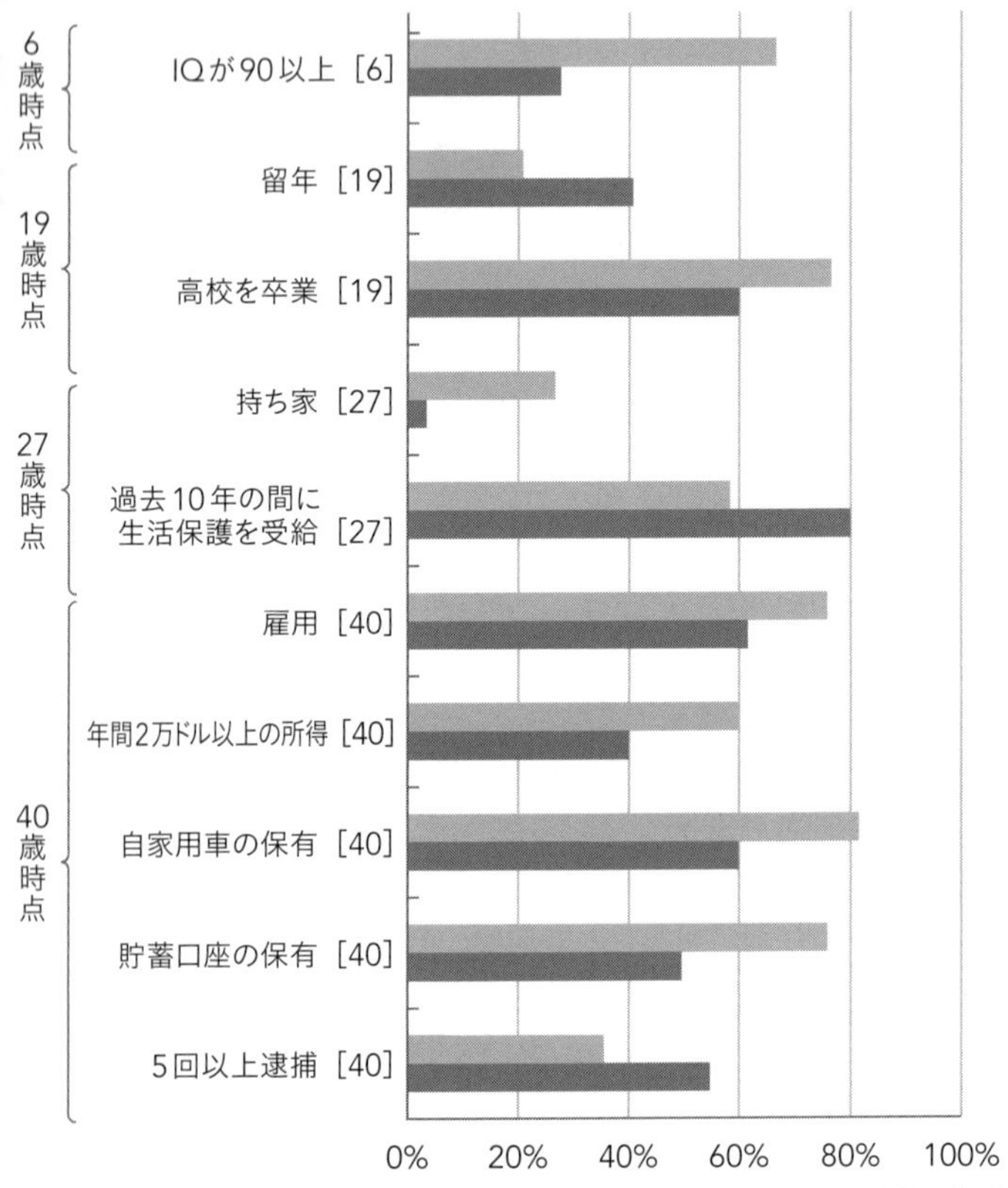

注：1. 灰色の棒グラフは処置群の子どもたちの成果の平均値を表しており、黒色の棒グラフは対照群の子どもたちの成果の平均値を表している。
2.［　］内の数字は、調査時点の子どもの年齢を表す。

出所：Schweinhart, L. J., Montie, J., Xiang, Z., Barnett, W. S., Belfield, C. R., & Nores, M. (2005). *Lifetime effects: the High/Scope Perry Preschool study through age 40*. Ypsilanti: High/Scope Press.

処置群と対照群の子どもたちの間でどのような差が生まれたのかをみたのが図16です。とくに注目すべきなのは、子どもたちが卒業した後──しかも卒業後かなり時間がたった後も──ペリー幼稚園プログラムの効果が持続していたということです[40]。

19歳、27歳、40歳のときに行われた追跡調査の結果をみると、灰色の棒グラフで示された処置群の子どもたちは、黒色の棒グラフで示された対照群の子どもたちに比べて、

・6歳時点でのＩＱ　↓　高い
・19歳時点での高校卒業率　↓　高い
・27歳時点での持ち家率　↓　高い
・40歳時点での所得　↓　高い
・40歳時点での逮捕率　↓　低い

ことがわかりました。つまり、この就学前プログラムに参加した子どもたちは、小学校入学時点のＩＱが高かっただけではなく、その後の人生において、学歴が高く、雇用や経済的な環境が安定しており、反社会的な行為に及ぶ確率も低かったのです。

幼児教育への財政支出は、社会全体でみても割のよい投資

就学前教育に長期にわたって持続するような効果があったということは、子どもへの教育投資を考えている親にとっても（そして子ども自身にとっても）素晴らしい発見ですが、この発見の持つ意味はそれにとどまりません。

就学前教育への支出は、雇用や、生活保護の受給、逮捕率などにも影響を及ぼすことから、単に教育を受けた本人のみならず、社会全体にとってもよい影響をもたらすのです。

こうした社会全体への好影響を「社会収益率」として推計したヘックマン教授らによると、ペリー幼稚園プログラムの社会収益率は年率7～10％にも上ると指摘されています（他の研究では、さらに高い13％、あるいは17％という推計結果もあります[41]）。

社会収益率が7～10％にも上るということは、4歳の時に投資した100円が、65歳の時に6000円から3万円ほどになって社会に還元されているということです。現在、政府が失業保険の給付や犯罪の抑止に多額の支出を行っていることを考えると、幼児教育への財政支出は、社会全体でみても、非常に割のよい投資であるといえるのです。[42][43]

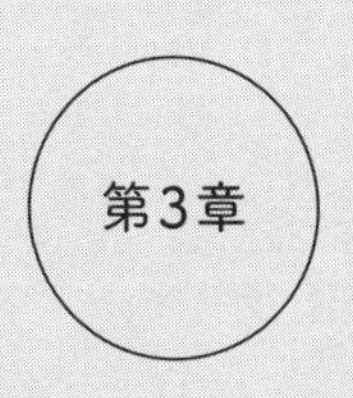

“勉強”は本当に
そんなに大切なのか？

人生の成功に重要な非認知能力

幼児教育プログラムは子どもの何を変えたのか

ペリー幼稚園プログラムは、学歴・年収・雇用などの面で大きな効果を上げ、しかもその効果が長期にわたって持続したことが明らかになりました。この結果を見て多くの方は、「就学前に質の高い幼児教育を受けたことで、子どもたちの学力が上昇し、その結果成功したのだ」とお考えになるかもしれません。

たしかに、ペリー幼稚園プログラムによって、子どもたちの小学校入学後のIQや学力テストの成績は上昇したことがわかっています(図17)。しかし、この学力やIQへの効果は、実はごく短期的なものでした。[44]

図17は、ペリー幼稚園に参加した子どもたちのIQが年齢とともにどのように変化したかを、処置群と対照群に分けてみたものです。灰色の線で示された処置群と黒色の線で示された対照群のIQの差は、小学校入学前(4~5歳ごろ)にはそれなりに大きかったものの、**小学校入学(6歳)とともに小さくなり、ついに8歳前後で差がなくなっ**

図17　8歳で消滅してしまう認知能力への影響

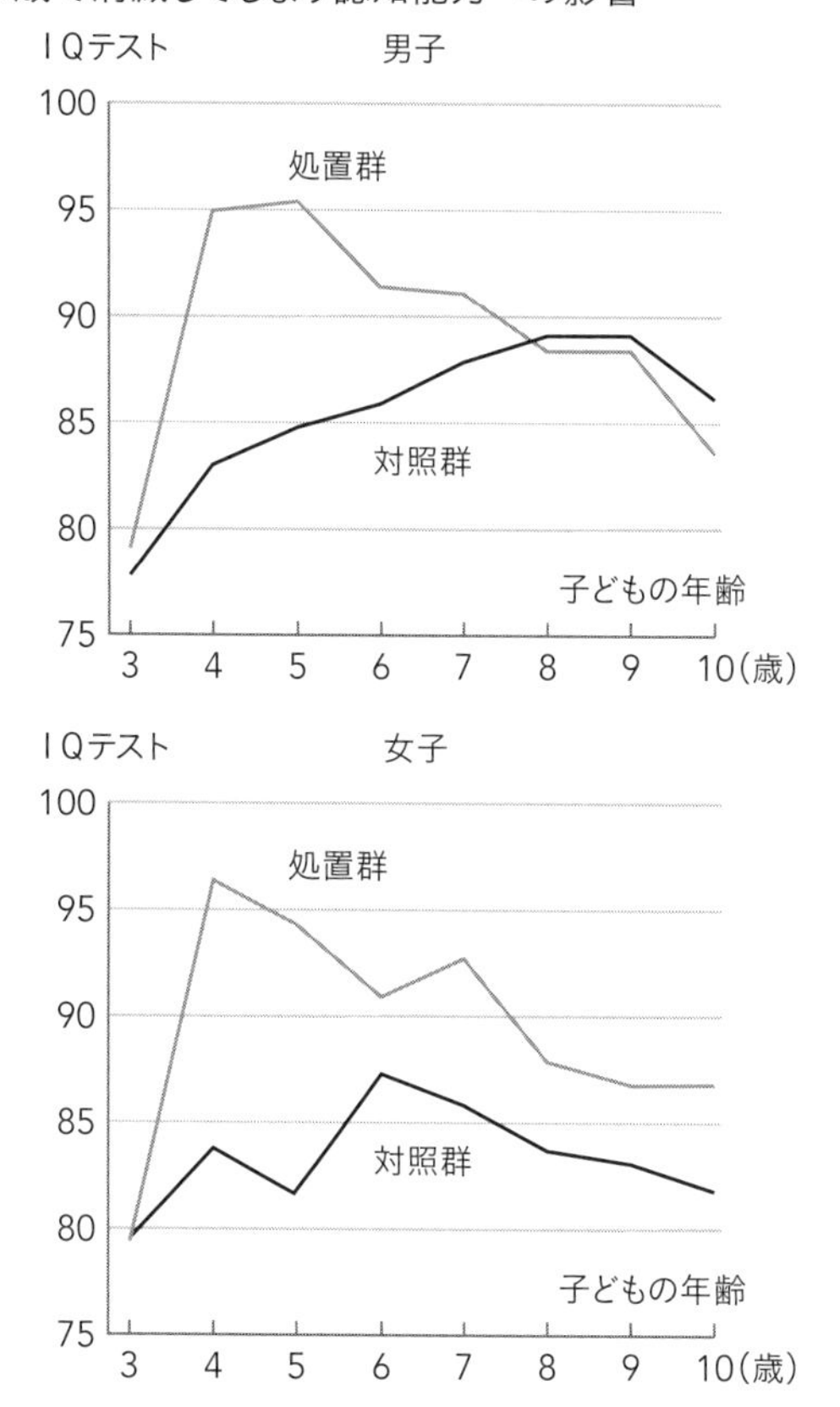

注：灰色の線は処置群のIQテストの推移を、黒色の線は対照群のIQテストの推移を表す。

出所：Heckman, J. J., Pinto, R., & Savelyev, P. A. (2013). Understanding the mechanisms through which an influential early childhood program boosted adult outcomes. *The American Economic Review*, 103(6), 2052–2086.

てしまっています。

ＩＱや学力テストで計測される能力は、一般に「認知能力」と呼びます。ペリー幼稚園プログラムは、３～８歳ごろまでは認知能力を上昇させる効果を持ったものの、その効果は８歳ごろで失われ、決して長期にわたって持続するものではありませんでした。

「非認知能力」とは

ペリー幼稚園プログラムは、認知能力には短期的な影響しかもたらさなかったにもかかわらず、学歴・年収・雇用などの面で、長期的に大きな影響をもたらしました。

このプログラムは、いったい子どもたちの何を変えたというのでしょうか。

ペリー幼稚園プログラムによって改善されたのは、**「非認知スキル」**または**「非認知能力」**と呼ばれるものでした。[45][46] これは、ＩＱや学力テストで計測される認知能力とは違

非認知能力は将来の年収、学歴や就業形態などの労働市場における成果に大きく影響する

い、「忍耐力がある」とか、「社会性がある」とか、「意欲的である」といった、人間の気質や性格的な特徴のようなものを指します（112ページ図18）。一般に「生きる力」*といわれるようなものでしょうか。

気質や性格的な特徴である非認知能力は、本来目に見えないものですが、58ページで「自尊心」を計測したのと同じような心理学的な方法を使って、数値化することができます。そして、その数値を分析した結果、非認知能力は、認知能力の形成にも一役買っているだけでなく、**将来の年収、学歴や就業形態などの労働市場における成果にも大きく影響することが明らかになってきたのです。**

前出のヘックマン教授は、米国の一般教育修了検定（日本でいうところの高卒認定試験）の分析を行い、このことを示しています[47]。

＊「生きる力」とは、1996年に文部省（現在の文部科学省）の中央教育審議会が、問題解決能力や、自制心、協調性、思いやり、豊かな人間性などの全人的な資質や能力を指す言葉として用いて以降、教育上の目標として用いられるようになった。

図18　非認知能力とは何か

学術的な呼称	一般的な呼称
自己認識（Self-perceptions）	自分に対する自信がある、やり抜く力がある
意欲（Motivation）	やる気がある、意欲的である
忍耐力（Perseverance）	忍耐強い、粘り強い、根気がある、気概がある
自制心（Self-control）	意志力が強い、精神力が強い、自制心がある
メタ認知ストラテジー（Metacognitive strategies）	理解度を把握する、自分の状況を把握する
社会的適性（Social competencies）	リーダーシップがある、社会性がある
回復力と対処能力（Resilience and coping）	すぐに立ち直る、うまく対応する
創造性（Creativity）	創造性に富む、工夫する
性格的な特性（Big 5）	神経質、外交的、好奇心が強い、協調性がある、誠実

出所：Gutman, L. M., & Schoon, I. (2013). The impact of non-cognitive skills on outcomes for young people. Education Endowment Foundationをもとに筆者作成

学校は、学力に加えて、非認知能力を培う場でもある

その研究によれば、高校に通わずに一般教育修了検定に合格した生徒は、高校を卒業した生徒に比べて、年収や就職率が低い傾向にあることがわかりました。もしも、学力などで計測される認知能力のみが重要なのだとすれば、同程度の学力を持つ一般教育修了検定に合格した生徒と、高校を卒業した生徒との間に大きく差がつくはずがありません。

ヘックマン教授らは、学力テストでは計測することができない非認知能力が、人生の成功において極めて重要であることを強調しています。また、誠実さ、忍耐強さ、社交性、好奇心の強さ――これらの非認知能力は、「人から学び、獲得するものである」ことも。

おそらく、学校とはただ単に勉強をする場所ではなく、先生や同級生から多くのことを学び、「非認知能力」を培う場所でもあるということなのでしょう。

経済学者であり、プリンストン大学の学長でもあったボーウェン教授らは、違った角度から非認知能力の重要性を明らかにしています[48]。

ボーウェン教授は、米国では、大学生の中退率が40%近くに上るという事実に着目し

て、どういう学生が中退し、どういう学生が中退せずに卒業する傾向が高いのかを調べました。

米国の大学に入学するには、SATと呼ばれる共通テストと、高校の時の通知表の両方を提出する必要があります。ボーウェン教授らは、SATの成績は認知能力のみを表すのに対して、高校の通知表の成績には、締め切りを守って宿題を提出したり、授業中に積極的に発言したりするという非認知能力も反映されているはずと考え、大学の中退率への影響を検証しました。

その結果、中退することなくきちんと大学を卒業できていたのは、SATの成績がよかった学生ではなく、出身高校のレベルにかかわらず通知表の成績がよかった学生だったことが判明しました。

高校でよい成績を取る過程で獲得した非認知能力（まじめ、先生との関係がよい、計画性がある、やり抜く力がある、など）は、高校を卒業した後も、彼らを成功に導いてくれたのです。

どんなに勉強ができても、自己管理ができず、やる気がなくて、まじめさに欠け、コミュニケーション能力が低い人が社会で活躍できるはずはありません。**一歩学校の外へ出たら、学力以外の能力が圧倒的に大切**だというのは、多くの人が実感されているところではないでしょうか。

非認知能力といっても、112ページの図18で表されるようにいろいろなものがあります。この中で、人生の成功のためにとくに重要な非認知能力をご紹介しましょう。

ここで私が「重要」と定義する非認知能力とは、

①学歴・年収・雇用などの面で、子どもの人生の成功に長期にわたる因果効果を持ち
②教育やトレーニングによって鍛えて伸ばせる

ことが、これまでの研究の中で明らかになっているものです。

重要な非認知能力：「自制心」

人生を成功に導くうえで重要だと考えられている非認知能力のひとつは「自制心」です。

「マシュマロ実験」と呼ばれる有名な研究があります[49]。コロンビア大学の心理学者であるミシェル教授は、当時勤務していたスタンフォード大学内の保育園で、186人の4歳児の自制心を次のような方法で計測しました。

まず、子どもにマシュマロを差し出します。次に、「いつ食べてもいいけれども、大人が部屋に戻ってくるまで我慢できればマシュマロを2つ食べられますよ」とだけ伝えて、大人は部屋を退出します（この時点で大人がいつ部屋に戻ってくるかは、子どもにはわかりません）。そして、部屋を出て15分後、大人が戻ってきます。

この結果、186人のうち約3分の1は15分間我慢して2つのマシュマロを手に入れることができましたが、残りの3分の2は我慢できずにマシュマロを食べてしまっていました。

その後ミシェル教授は、彼らの人生を追跡して調査を行いました。その結果、彼らが高校生になったときにはかなりの差が生じていることが判明します。

大人が戻ってくるまで我慢して2つのマシュマロを手に入れた子どもは、我慢できずに食べてしまった子どもよりも、SATのスコアがずっと高かったのです。

重要な非認知能力：「やり抜く力」

もうひとつの重要な非認知能力として挙げられるのが、「やり抜く力」です[50]。この能力は、ペンシルバニア大学の著名心理学者、ダックワース准教授が「成功を予測できる性質」として発表して以来注目を集め、GRIT（グリット）とも呼ばれています。

ダックワース准教授のTEDトーク「成功のカギはやり抜く力」の再生回数は630

万回以上に上り、大きな反響を呼んでいます。ダックワース准教授は、このやり抜く力を**「非常に遠い先にあるゴールに向けて、興味を失わず、努力し続けることができる気質」**と定義しました。このやり抜く力もまた、「自尊心」を計測したのと同様、調査対象者に12問ほどの質問に答えてもらうことで簡単に数値化できます。

陸軍士官学校の訓練に耐え抜くことができる候補生は誰か。英単語の全国スペリングコンテストで最終ラウンドまで残る子どもは誰か。貧困地域に配属された新米教師のうち、学年末にもっとも子どもの学力を上げることができるのは誰か。

それぞれまったく異なる状況で、求められる能力は一見バラバラのようにも思えます。しかし、ダックワース准教授は、「成功する人」を事前にかなり高い精度で予測することができました。「やり抜く力」が高い人は、いずれの状況でも成功する確率が高かったからです。

さらに、ダックワース准教授は、才能とやり抜く力の間には相関関係がないことも明らかにしています。才能があっても「やり抜く力」がないがために、成功に至らない人が少なからずいたのです。

非認知能力は成人後まで可鍛性のあるものも少なくない

非認知能力を鍛える方法

最近の研究では、認知能力の改善には年齢的な閾値が存在しているが、**非認知能力は成人後まで可鍛性のあるものも少なくない**ということがわかっています。では、非認知能力を鍛えて伸ばすためにはどうすればよいのでしょうか。

重要な非認知能力のひとつとしてご紹介した「自制心」は、「筋肉」のように鍛えるとよいと言われています。筋肉を鍛えるときに重要なことは、継続と反復です。腹筋や腕立て伏せのように、自制心も、何かを繰り返し継続的に行うことで向上します。

たとえば、先生に「背筋を伸ばせ」と言われ続けて、それを忠実に実行した学生は成績の向上がみられたことを報告している研究があります[51]。

もちろん、背筋を伸ばしたことが直接、成績に影響を与えたわけではありません。「背筋を伸ばす」のような意識しないとしづらいことを継続的に行ったことで、学生の自制心が鍛えられ、成績にもよい影響を及ぼしたのでしょう。

また、心理学の分野でも、「細かく計画を立て、記録し、達成度を自分で管理する」ことが自制心を鍛えるのに有効であると多数の研究で報告されています。[52]

かつて、「レコーディングダイエット」なるものが流行したことがありました。このダイエット法で減量に成功する人が多かったのは、「日々摂取した食事とそのカロリーを継続的に記録し、体重を確認する」ことを通じて自制心が鍛えられたという面もあったのではないかと私は考えています。

もうひとつの重要な非認知能力である「やり抜く力」はどうでしょうか。スタンフォード大学の心理学者であるドゥエック教授は、この力を伸ばすためには「心の持ちよう」が大切であると主張しています。[53] ドゥエック教授らの研究によれば、「しなやかな心」を持つ、つまり「自分のもともとの能力は生まれつきのものではなくて、努力によって後天的に伸ばすことができる」ということを信じる子どもは、「やり抜く力」が強いことがわかっています。ドゥエック教授らの実験では、親や教師から定期的にそのようなメッセージを伝えられた子どもたちは、「しなやかな心」を手に入れ、「やり抜く力」が強くなり、その結果、成績も改善したことが明らかにされています。

逆に、「やり抜く力」を弱める「心の持ちよう」もあります。「ステレオタイプの脅威」といわれるものです。

とある研究では「年齢とともに記憶力は低下する」という記事を読んだ人と読まなかった人だと、記事を読んだ人のほうが実際に記憶している単語量が少なかったことが示されています[54]。また、インドの実験では、農村の少年たちにカーストと呼ばれる自分たちの社会的な身分を思い出させてからテストを受けさせた場合、そうしなかったときにくらべて、成績が悪かったことを示す実験があります[55]。

つまり、「年齢とともに記憶力は悪くなる」とか「社会的な身分が低いと成功できない」というステレオタイプを刷り込まれると、まさに自分自身がそれを踏襲してしまうのです。

しつけを受けた人は年収が高い

海外だけでなく、日本のデータを用いた実証研究でも、非認知能力の重要性は示されつつあります。リクルートワークス研究所の戸田氏らは、日本のデータを用いて、中・高校生の時に培われた勤勉性、協調性、リーダーシップなどの非認知能力が学歴、雇用、年収に影響することを明らかにしています[56]。同様に、明治学院大学の李専任講師らの研究でも、外向性や勤勉性といった非認知能力が、年収や昇進に影響を与えることが示されています[57]。

神戸大学の西村教授らは、「しつけ」という違った角度から研究を行いました。4つの基本的なモラル（＝ウソをついてはいけない、他人に親切にする、ルールを守る、勉強をする）をしつけの一環として親から教わった人は、それらをまったく教わらなかった人と比較すると、年収が86万円高いということを明らかにしています[58]（図19）。なぜ、しつけを受けた人は年収が高いのでしょうか。その理由については、山形大学の窪田准教授らの

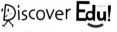

図19　4つのしつけを受けた人と受けなかった人の年収の違い

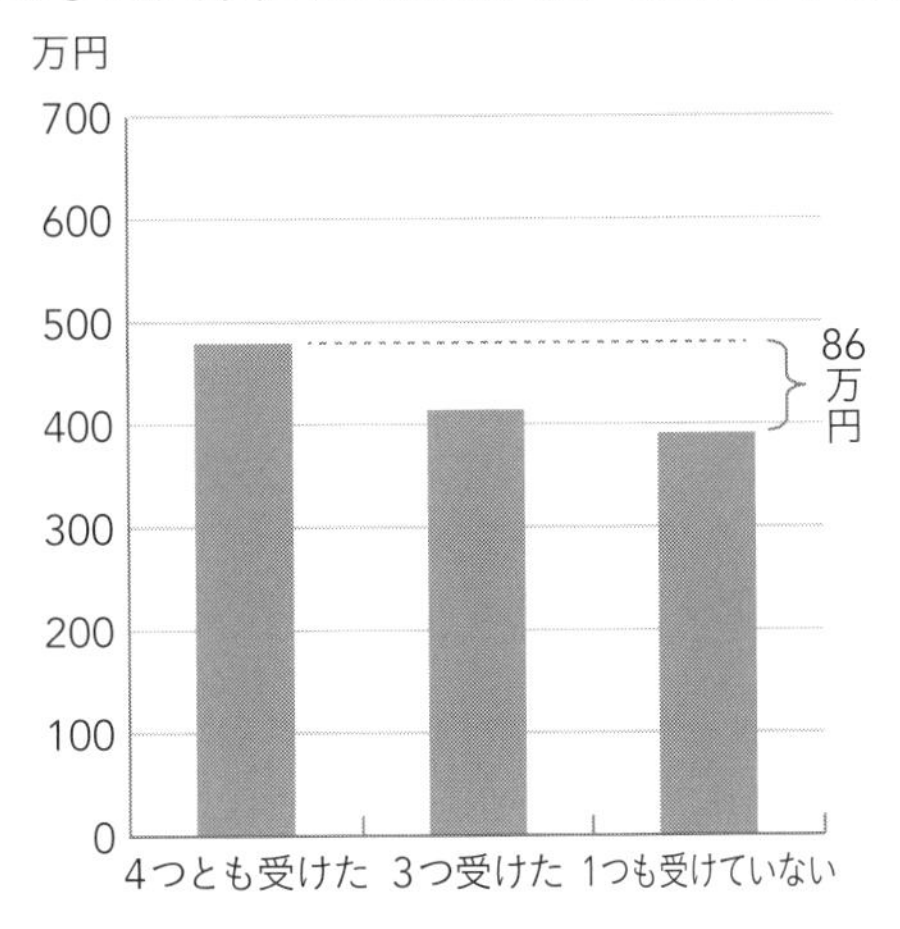

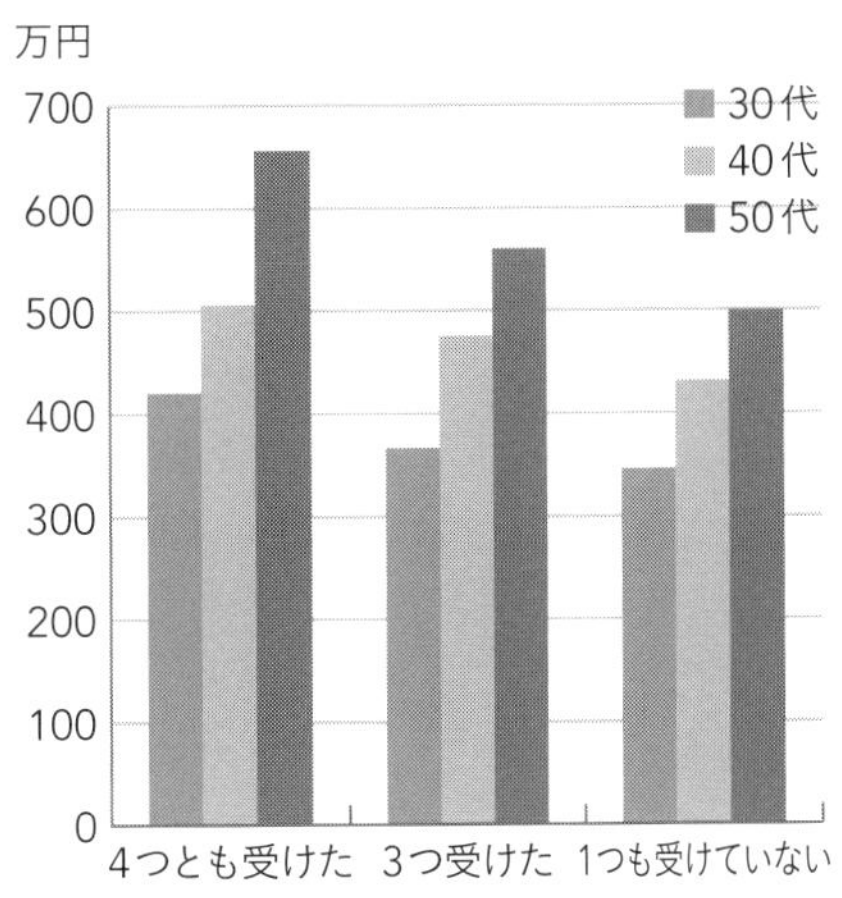

出所：西村和雄・平田純一・八木匡・浦坂純子「基本的モラルと社会的成功」RIETI Discussion Paper Series, 14-J-011

しつけは勤勉性という非認知能力を培う重要なプロセス

研究が参考になります。

窪田准教授らは、しつけが子どもの勤勉性に因果効果を持つことを明らかにしました[59]。すなわち、親が幼少期のしつけをきちんと行い、基本的なモラルを身につけさせるということは、勤勉性という非認知能力を培うための重要なプロセスなのです。そして、このしつけによって育まれた勤勉性が、平均的な年収の差につながったのだと考えられます。

行動経済学を専門とする大阪大学の池田教授の研究も、とても興味深いものです。

この研究では、子どものころに夏休みの宿題を休みの終わりのほうにやった人ほど、喫煙、ギャンブル、飲酒の習慣があり、借金もあって、太っている確率が高いことを明らかにしています[60]。要するに、宿題を先延ばしにするような自制心のない子どもは、大人になってからもいろいろなことを先延ばしにし、「明日からやろう」といっては結局禁煙できず、貯蓄もできず、ダイエットもできないというわけです。

非認知能力を過小評価してはいけない

私がこの章でもっとも強調したいのは、非認知能力の重要性です。子を持つご両親の多くは、お子さんの学力テストの結果に一喜一憂しがちです。点数や偏差値ではっきりと数字で表すことができ、その変化もよくわかる学力は当然気になるものでしょう。一方、非認知能力は数値化が難しいだけでなく、どれほど子どもの将来の成功にとって重要なものなのか、今まで十分に示されてきませんでした。この結果、きちんとしつけをすることよりも、テストで100点をとらせることのほうが大事だという価値観が、私たちの社会に根づいてしまっているようにも感じます。

もちろん、学力は重要でないというつもりは毛頭ありません。しかし、これまでの心理学の貢献によって非認知能力は数値化され、そして経済学の貢献によって、**非認知能力への投資は、子どもの成功にとって非常に重要であることが多くの研究で示されています。**

目の前の定期試験のために、部活や生徒会などをやめさせることには慎重であるべき

非認知能力は、人生のかなり長い期間にわたって、計り知れない価値を持ちます。しかし子を持つご両親の多くは、この非認知能力が子どもの成功に与える効果を過小評価しておられるように、私には思えるのです。

最近では、非認知能力を鍛える手段として、部活動や課外活動にも注目が集まっています。他にも、高校生が高齢者にコンピュータの使い方を教えるという社会奉仕活動のように、教室で学んだことを地域社会で問題解決のために生かすような教育や*、アウトドア活動なども有効であるといわれています(61)。

目の前の定期試験で数点を上げるために、部活や生徒会、社会貢献活動をやめさせたりすることには慎重であるべきかもしれません。学力をわずかに上げるために、長い目でみて子どもたちを助けてくれるであろう「非認知能力」を培う貴重な機会を奪ってしまうことになりかねないからです。

＊サービスラーニング（service learning）と呼ばれる教育法。

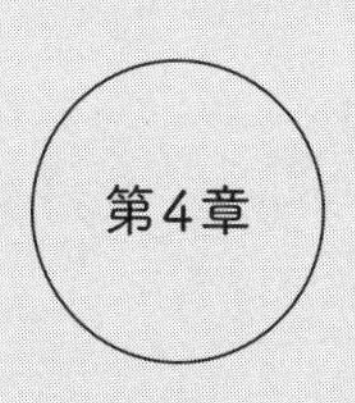

“少人数学級”には効果があるのか？

科学的根拠（エビデンス）なき日本の教育政策

35人か、40人か？

２０１４年10月、財務省が「今まで公立小学校で実施してきた1学級35人の少人数学級を見直し、40人学級に戻すべきだ」という主張をし、少人数学級を推進する文科省と真っ向から対立しました。テレビや新聞でも大きく取り上げられたこの話題を、ご記憶の方も多いと思います。

35人学級は、２０１１年から公立小学校の1年生で導入されてきましたが、財務省は、35人学級の導入の前後を比較しても、いじめや暴力行為の発生割合は変化していないと指摘し、40人学級の復活を主張しました（図20）。

財務省がこうした議論を喚起し始めた背景には、教育予算の使い方を効率化したいという意図があります。財務省の試算では、35人学級を40人学級に戻すと、86億円の費用を削減することができるそうです。しかし、図20を根拠として、「35人学級に効果がない」というのはあまりにも乱暴です。

図20　少人数学級に効果はなかった？

40人学級 ← → 35人学級

	H18	H19	H20	H21	H22	H23	H24
いじめ認知件数	10.7%	11.0%	11.0%	11.0%	9.5%	9.6%	12.8%
暴力行為	3.2%	4.0%	3.7%	4.4%	4.3%	3.9%	4.7%
不登校	4.5%	4.6%	4.6%	4.8%	4.8%	4.6%	4.5%

	H18～22 導入前の平均	→	H23,H24 導入後の平均
いじめ認知件数	10.6%		11.2%
暴力行為	3.9%		4.3%
不登校	4.7%		4.5%

出所：財務省資料

そもそも、いじめや暴力行為、不登校の件数が変化する要因は、学級あたりの生徒数以外にもさまざまなものが考えられます。少人数学級の導入前後を比較するだけでは、他のさまざまな要因の影響を考慮することができておらず、本当に少人数学級に効果がなかったかはわかりません。

ひょっとすると、少人数学級には不登校を抑える効果があった一方、震災などによる社会不安の影響で不登校が増加する効果があり、両者が相殺し合って、件数に変化がなかっただけかもしれないからです。

実験などの方法を使って対照群と比較することなしに、35人学級が、子どものいじめや暴力行為、不登校にどのような因果効果を持ったかということを明らかにするのは極めて難しいことです。

また、財務省の分析では、少人数学級の目的は「いじめや暴力行為、不登校をなくすことである」ということが暗に前提として置かれていますが、本当でしょうか。少人数学級が、学力や進学、卒業後の収入など他の教育成果に影響を与えている可能性はないのか、という点も気になります。

一方、財務省から40人学級に戻すよう提案を受けた文部科学大臣は、きめ細かな指導には35人学級が「望ましい」と断定したうえで、「国際的にみて日本の教員は多忙感が強く、これではきめ細かな指導はできないだろうから、引き続き、少人数学級を推し進めるべきである」と主張しました。

しかし、「教員の労働時間が長く多忙感が強い」からといって、業務を効率化するという方法を取らずに、公務員である教員を増加させていたら、きりがなくなってしまいます。

残念ながら、日本では実験によって教育政策の効果測定は、ほとんど行われてきませんでした。だから、今回の少人数学級にかんする議論でも、信頼できるデータや分析に基づくエビデンスがほとんど示されていないのです。

ここでは、国内外で実施された少人数学級にかんする研究成果を整理して、日本の少人数学級政策、そして教育政策運営について考えてみることにしましょう。

少人数学級は費用対効果が低い

米国で実施された実験として有名なのは、「史上もっとも重要な調査」との呼び声が高いスタープロジェクト（Student Teacher Achievement Ratio Project）でしょう。１９８５年から89年にかけて米国のテネシー州政府は、少人数学級に学力を上昇させる効果があるかどうかを明らかにする目的で、実験を実施しました。

日本では、「少人数学級」というと、35人学級を思い浮かべる人が多いかもしれませんが、米国では少人数学級というと、20人以下のことを指すのが普通です。

この数字は、ある研究がもとになっています。１９８０年代にコロラド大学のグラス教授とスミス教授が、1学級あたりの生徒数と学力の間には負の相関関係があり、とくに1学級あたりの生徒数は20人以下となるのが望ましいという研究を発表しました（図21）[62]。そして、１９８０年代以降、米国では、1学級あたりの生徒数は20人以下というのが「少人数学級」の目安になりました。

図21　学力と学級規模の関係（グラス・スミス曲線）

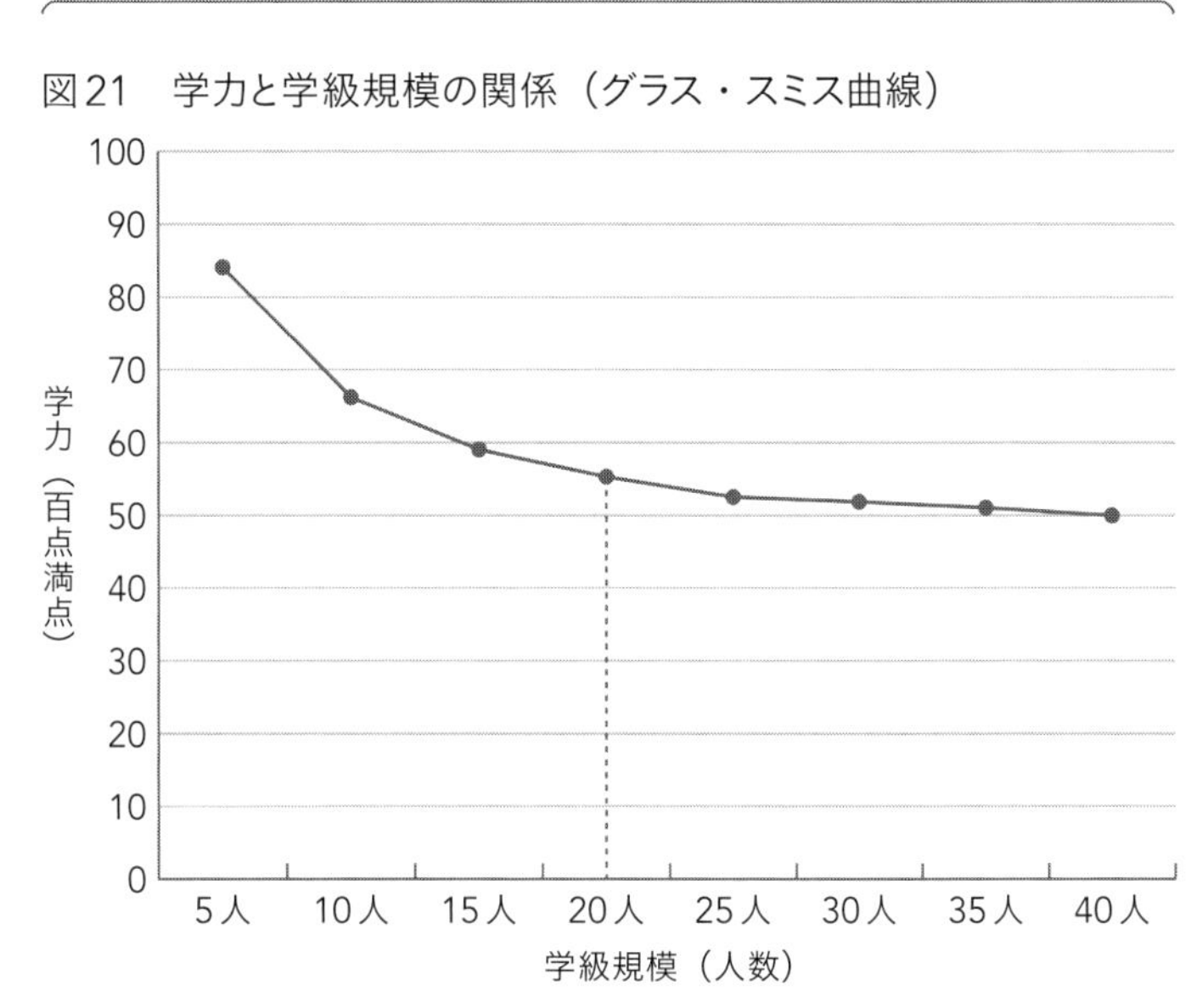

出所：Glass, G. V. (1992). Class size. *Encyclopedia of Educational Research*, 164-166.

少人数学級には効果があるが、費用対効果は低い

スタープロジェクトでは、79の公立幼稚園・小学校に在籍する約6500人の生徒を、1学級あたりの生徒数が13～17人の少人数学級となる学校群（＝処置群）と、1学級あたりの生徒数が22～25人の学級となる学校群（＝対照群）にランダムに振り分け、比較しました（図22）。

このスタープロジェクトの効果測定を担当したプリンストン大学のクルーガー教授の一連の研究によれば、たしかに少人数学級には学力を上昇させる因果効果があったことが示されています（136ページ図23）[63]。

それでは、日本も同じように、1学級あたりの人数を13～17人のようにもっと少なくするべきなのでしょうか。実は、私はそれには慎重であるべきだと思っています。なぜなら、**少人数学級は学力を上昇させる因果効果はあるものの、他の政策と比較すると費用対効果は低い政策である**こともまた明らかになっているからです。

図22　スタープロジェクト

実験の設計

- 仮説：少人数学級は、子どもの学力を上げる因果効果を持つ
- 予想される結果：少人数学級の子どもの学力 > 通常学級の子どもの学力
- 対象者：テネシー州の公立幼稚園・小学校に通う生徒全員

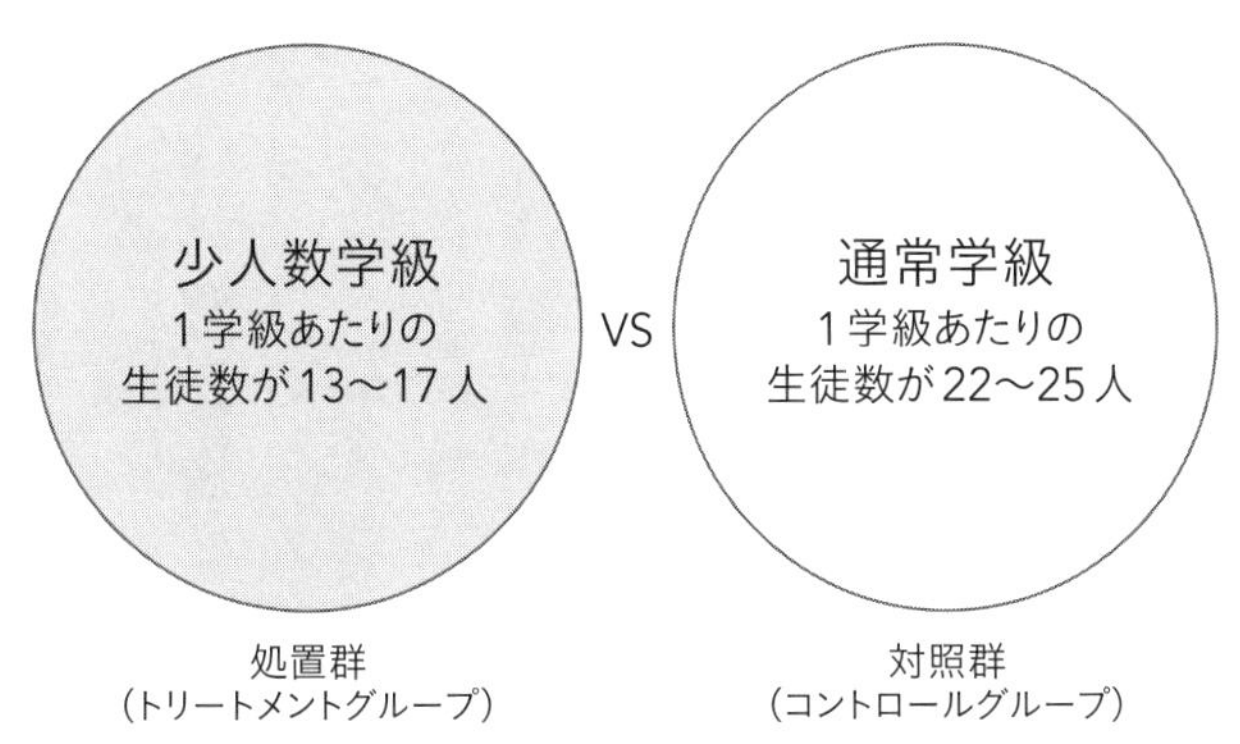

- 結果：少人数学級の子どもの学力 > 通常学級の子どもの学力
  とくに学齢の低い子ども、マイノリティである黒人、貧困家庭の子どもに対する効果が高かった

出所：Card, D. & Krueger A.(1992). Does school quality matter? Returns to education and the characteristics of public schools in the United States. *Journal of Political Economy*, 100(1), 1-40をもとに筆者作成

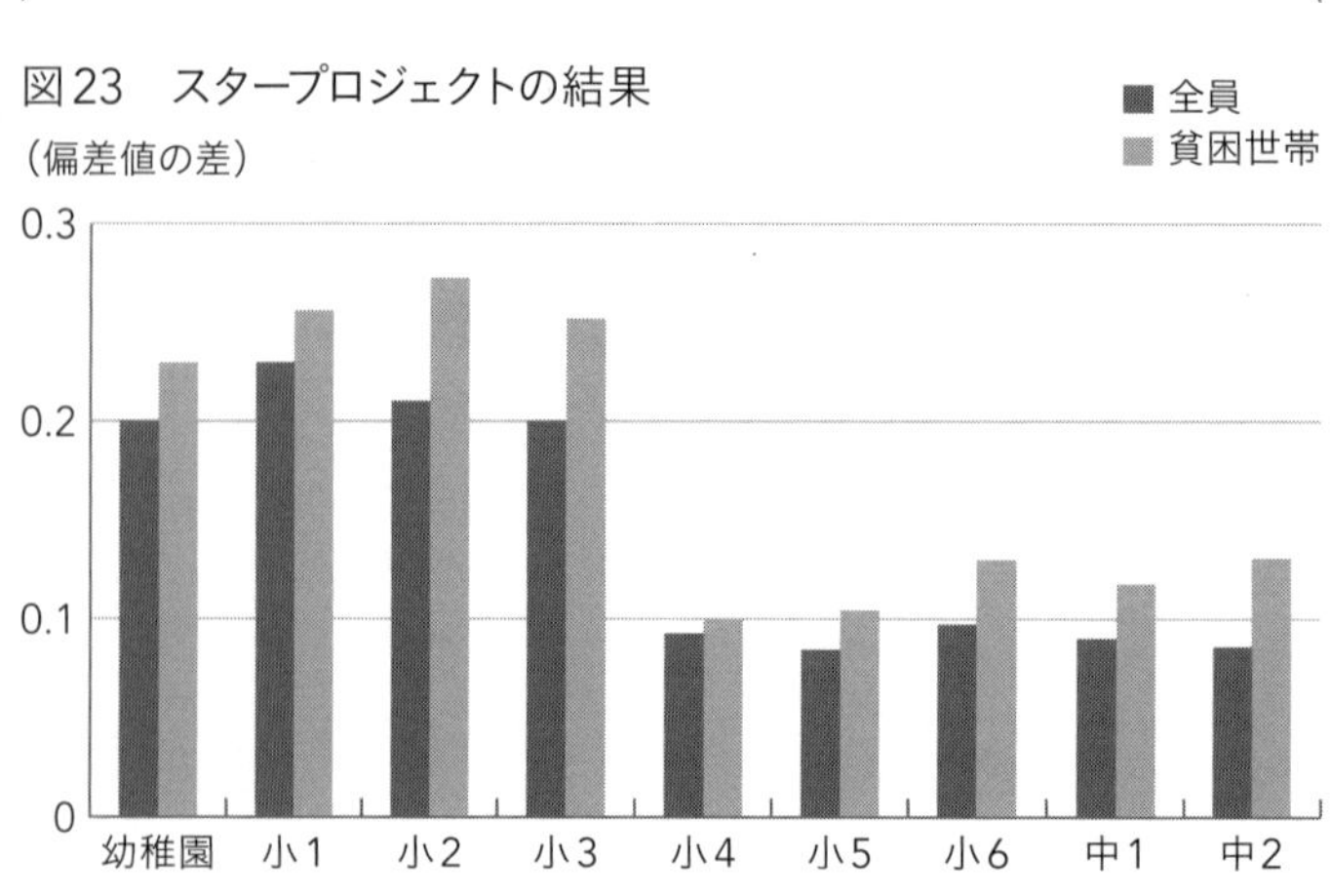

図23　スタープロジェクトの結果

注：1. 図の棒グラフは処置群（13～ 17人の学級に割り当てられた子どもたち）と対照群（22～25人の学級に割り当てられた子どもたち）の偏差値の差を表す。
　　2. 黒色の棒グラフは対象者全員の結果で、灰色の棒グラフは生活保護を得ている世帯の子どもたちに限った場合の結果。

出所：Heckman, J. J., & Krueger, A. B.(2005). *Inequality in America: What role for human capital policies?*. MIT Press Books.

138ページの図24は、開発途上国で500以上もの教育に関する実験を実施してきている、マサチューセッツ工科大の貧困アクションラボの研究成果をもとに、学力向上を目標とした教育政策の費用対効果を算出したものです。[64]

貧困アクションラボ*の研究蓄積は私たちに多くのことを教えてくれます。[65][66] 少人数学級のように費用対効果が低い政策もありますが、逆に費用対効果が高い政策というのも存在します。もっとも費用対効果が高い政策（図24の「教育の収益率に対する情報提供」）とは、どのようなものでしょうか。

＊貧困アクションラボは、米国マサチューセッツ工科大学の2人の経済学者、バナジー教授とデュフロ教授らにより、「研究を行動に」というモットーを掲げて設立され、政治的流行に振り回されやすい開発政策を、科学的根拠に基づくものにするという挑戦を始めた。貧困アクションラボは、「実験の専門機関」とでもいうべきもので、このラボでは実験以外の手法を用いた研究は行っていない。

図24　学力を上昇させる費用対効果の高い政策とは

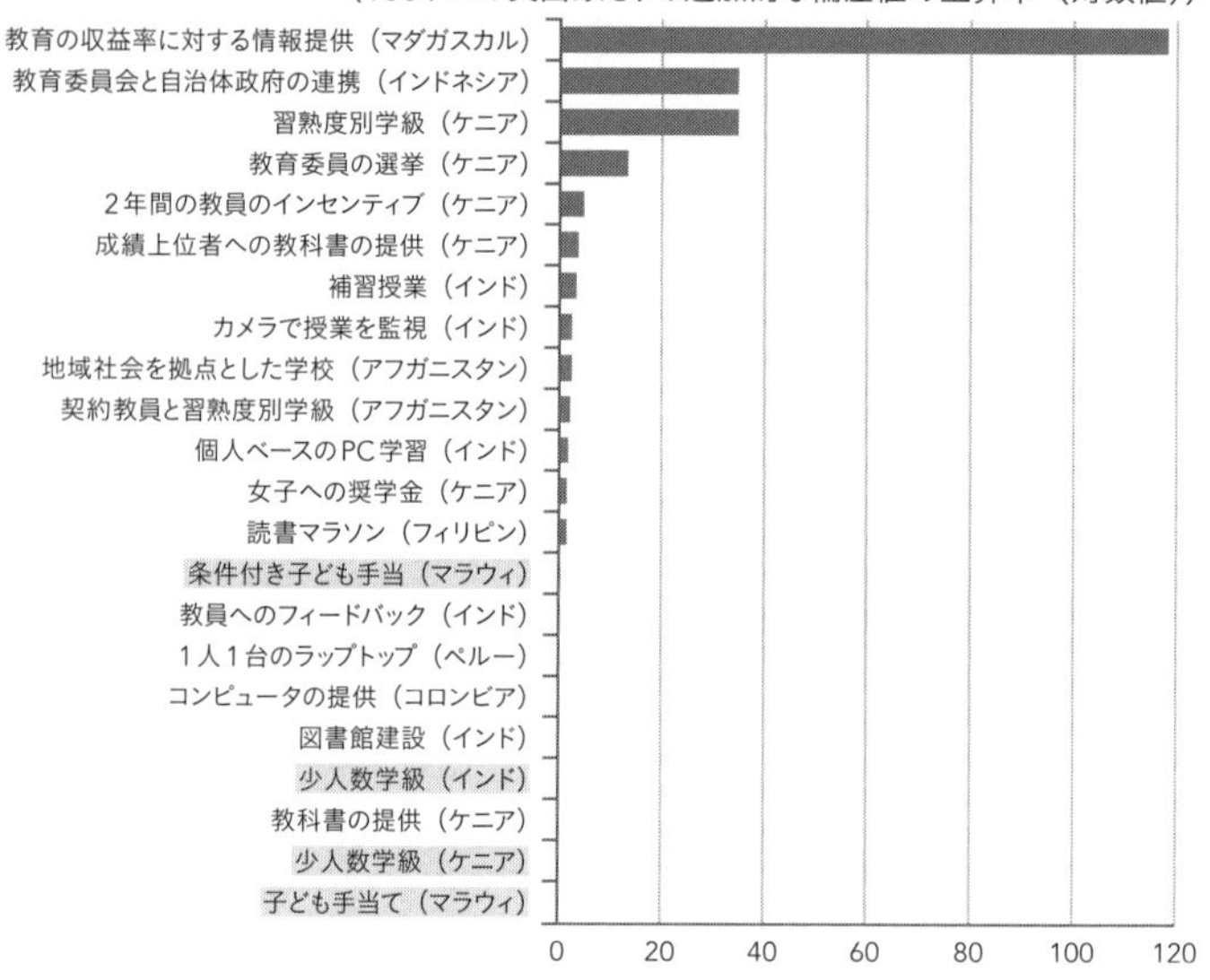

出所：貧困アクションラボのホームページをもとに筆者作成

情報は「金」

マダガスカルで行われた実験[67]では、ランダムに分けられた小学生のうち、あるグループに振り分けられた子どもと親（＝処置群）は、家計調査から**学歴と年収のデータを用いて算出された教育の収益率**を知らされました。そして5か月後、教育の収益率の情報を知らされた子どもたちは、知らされなかった子どもたち（＝対照群）よりも学力が高くなったことが示されています（140ページ図25）。

この効果はかなり大きく、たった5か月で、しかもただ単に情報を伝えるというほとんどコストのかからない介入によって、テネシー州で2年間にわたり実施された少人数学級よりも高い効果が得られたのです。

この実験は、親や子どもたちが教育の価値を過小評価している場合、正しい教育の収益率を知る、つまり「教育を受けることの経済的な価値」に対する誤った思い込みを正

図25　マダガスカルで行われたランダム化比較実験

ランダム化比較試験の設計

- 仮説：親が「子どもの教育にどれくらいの価値があるか」という情報を得ることは、子どもの学力を上げる因果効果を持つ
- 予想される結果：情報を得た親の子どもの学力>情報を得なかった親の子どもの学力
- 対象者：マダガスカルの640の小学校の親子

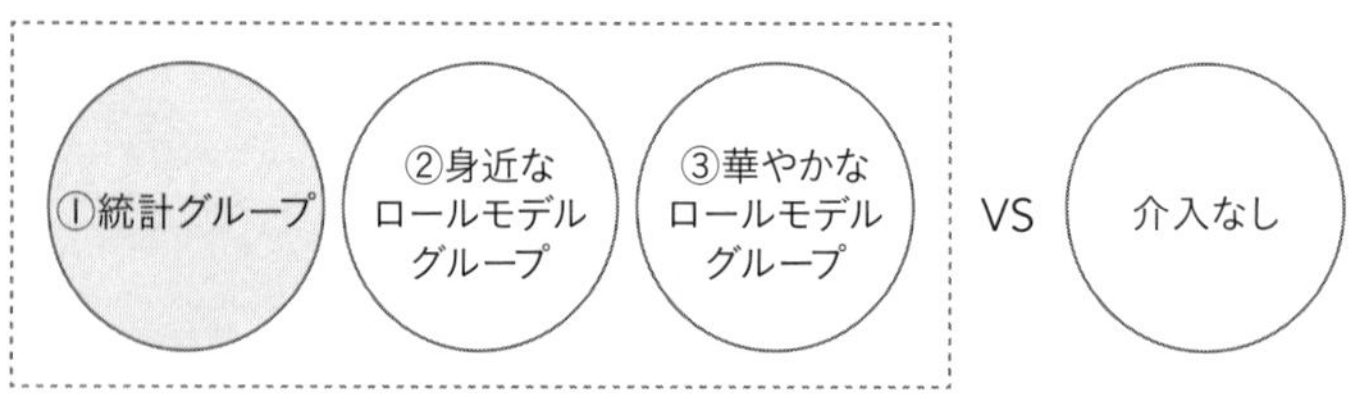

処置群（トリートメントグループ）　　対照群（コントロールグループ）

- 結果　①統計グループ>②身近なロールモデルグループ>③華やかなロールモデルグループ>介入なし

注：この実験では教育の収益率を知らされたグループ（①）以外に、ロールモデルによる講演を開き、教育の価値を学ぶグループ（②③）もあった。

出所：Nguyen, T. (2008) Information, Role Models and Perceived Returns to Education: Experimental Evidence from Madagascar. mimeo をもとに筆者作成

すだけで、子どもの学力を高めることができることを示唆しています。*

これは「子どもの能力を開花させるために、少人数学級や子ども手当などのようにお金のかかる施策を行う必要はまったくなく、少ない費用で高い効果を発揮する政策がある」ことを示した素晴らしいエビデンスです。

教育を受けることの経済的な価値に対する誤った思いこみを正すだけで、子どもの学力は上がる

「教育を受けることの経済的な価値」というと、難しい言葉のように聞こえますが、私はいつも次のように説明しています。

「高校を卒業後すぐに働き始めた人と、大学を卒業してから働き始めた人の間では、生涯で稼げるお金に、実に1億円の差があります。1億円を年末ジャンボ宝くじで当てようとすれば、その確率は1000万分の1です。交通事故で亡くなる確率が1万分の1、飛行機で事故にあう確率が20万分の1といわれている中、これは、ほとんど不可能といってよいレベルでしょう。しかし、宝くじで1億円が当たることを夢見なくても、大学へ行けば生涯で稼げるお金は1億円高くなるのですよ」と（142ページ図26）。


*カリフォルニア大学ロサンゼルス校のジェンセン教授も、ドミニカ共和国で行った実験で、教育の収益率にかんする情報提供を行い、子どもたちの教育年数が増加したことを明らかにしている（68）。

図26　日本の学歴ごとの生涯年収の差

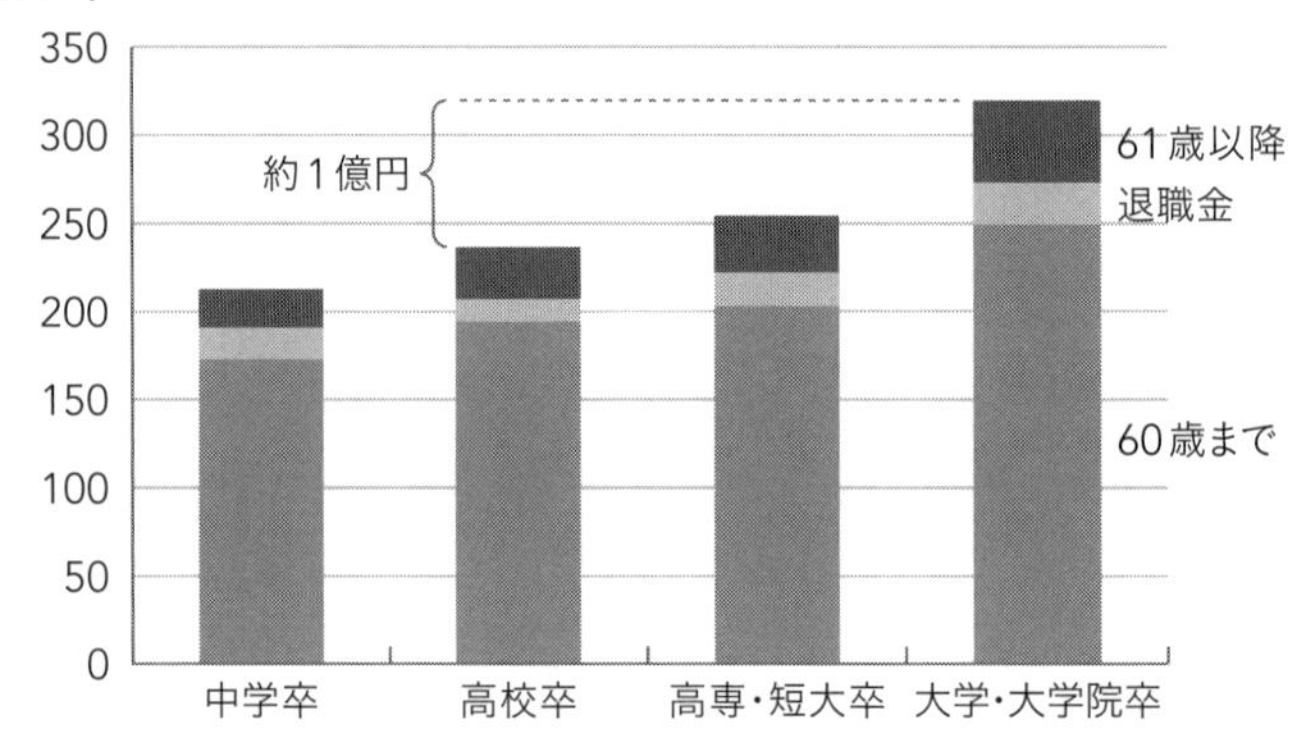

出所：労働政策研究・研修機構「ユースフル労働統計2013」

「少人数学級」と「子どもの生涯収入」の関係

少人数学級が短期的には費用対効果の低い政策だったとしても、それだけで否定することはできません。長期的にみれば、費用対効果の高い政策だといえる可能性は残されているからです。しかし、この点についてヘックマン教授らは、**長期的に見ても「1学級あたり生徒を5人減少させる投資」は、決して「賢い投資」とはいえないと主張しています**[69]。ヘックマン教授らは「少人数学級に支払った費用は、少人数学級を受けた子どもたちの収入の増加によって取り戻せるのか」を推計しました。その結果、(40人から35人のように)1学級あたり5人の生徒を減少させる少人数学級を小学校から高校まで実施した場合、かなり楽観的な推計でも、1990年の高卒労働者の生涯収入(=1990年時の割引後純収益)は、26万円から55万円のロスとなってしまったということです(144ページ図27)。

図27　学級あたり5人の生徒を減少させると、子どもたちの生涯収入はどうなるか

割引率	生産性上昇率	学級規模を5人縮小することによる収益率		
		1%	2%	4%
7%	0%	▲9056	▲8092	▲6163
7%	1%	▲8878	▲7736	▲5451
5%	0%	▲9255	▲7537	▲4103
5%	1%	▲8887	▲6802	▲2632

（単位：ドル）

注：1. 表中の数字は、1990年の時点で、過去高校までに受けた教育で、学級規模を5人縮小させるという少人数学級政策を受けていたと仮定した場合の、1990年時点の割引後純収益として表されている。この推計には、時間とともに生じる割引率、生産性の上昇率、少人数学級を実施したことによる教育の収益率の上昇などにさまざまな仮定を置く必要があるため、その仮定に応じて、複数の推計値が算出されている。たとえば、▲9056という数字は、割引率を7%、生産性上昇率を0%、教育の収益率を1%と仮定した場合の推計値。表中の数字がマイナスになっているということは、少人数学級を実施した場合の賃金のほうが現在の賃金よりも低い、すなわち少人数学級を実施した場合の費用が収益を上回っていることを意味している。

2. 少人数学級を実施することによってかかる費用は、新しい教員を雇用するための給与や事務管理費用などが含まれ、1993年に発表された米国教育統計センターが公表した数字を利用しているほか、教育の収益率は、Card & Krueger（1992）がスタープロジェクトから推計したものを用いている。

出所：Heckman, J. J., & Krueger, A. B.(2005). *Inequality in America: What role for human capital policies?*. MIT Press Books, Card, D. & Krueger A.(1992). Does school quality matter? Returns to education and the characteristics of public schools in the United States. *Journal of Political Economy*, 100(1), 1-40.

私が日本の教育政策について疑問に思う点は、**これまで日本で実施されてきた「少人数学級」や「子ども手当」は、学力を上げるという政策目標について、費用対効果が低いか効果がないということが、海外のデータを用いた政策評価の中で既に明らかになっている政策である**ことです[*]。

「教育の収益率に対する情報提供」や「習熟度別学級」のように費用対効果が高いことが示されている政策は積極的に採用せず、既に費用対効果が低いか効果がないことが明らかになっている政策を実施するのであれば、巨額の財政支出を行う前に、日本でまずその政策の効果測定を行ってからでも遅くはないのではないでしょうか。

日本のデータを用いた検証

少人数学級の効果を測定することが難しいのは、少人数学級を採用している学校とそ

*貧困アクションラボによって示されたエビデンスは、主に開発途上国で実施された実験に基づいているため、直ちに日本にあてはまるとは限らない。これを「外部妥当性の問題」と呼ぶ。

うでない学校を単純に比較することができないからです。少人数学級を採用している学校には、少人数学級をわざわざ選んで通わせるような教育熱心な親の子どもが含まれています。このため、少人数学級を採用していない学校よりも、子どもの成績が高くなりがちです。よって、少人数学級を採用している学校とそうでない学校の成績の平均を単純に比較しても、その差は親の教育熱心さなど他の要因の影響によるものである可能性を排除できず、少人数学級であったことの因果効果なのかはわからないのです。だからこそ海外では実験という手法が用いられるのですが、日本では倫理的な理由から、実験が難しい状況にあります。

この問題を克服するために、日本の学校が設定している「あるルール」に注目し、少人数学級が子どもの学力にもたらす因果効果を明らかにした研究をご紹介しましょう。

多くの自治体や学校では、クラスの上限は40人であり、そこに1人の転校生がやってくると、そのクラスは20人と21人の2つのクラスに分けられます。* その場合、もし転校生がこなかったらクラスはひとつのままでした。「転校生がやってくるかどうか」は、たまたま偶然の産物なので、親にも生徒本人にも選択の余地はありません。したがって、

日本の研究でも、少人数学級の因果効果は小学生の国語以外の科目では確認されていない

ま転校生がやってきて、クラスが分割され、少人数学級に割り当てられた生徒たちと、そうでない生徒たちを比較すれば、人為的な実験をするのと同じような形で少人数学級が子どもたちの学力に与える因果効果を明らかにできます。ここまで何度かご紹介した、「自然実験」と呼ばれる手法です。

慶應義塾大学の赤林教授らは、横浜市がこの仕組みを採用していることに着目し、少人数学級が子どもの学力にもたらす因果効果を推計しました[70]。その結果、少人数学級の因果効果は、小学校の国語には学級規模が1人小さくなると偏差値が0・1上昇する効果が確認されていますが、小学生の国語以外の科目や中学生には、効果がみられませんでした。

国内外の研究蓄積をみる限り、少人数学級を積極的に推し進める理由は見当たりませ

＊クラスの人数が40人を超えると、クラスを2つに分けることを「マイモニデスの法則」という。これの名付け親はマサチューセッツ工科大学のアングリスト教授で、中世ユダヤ人の哲学者マイモニデスが「クラスあたりの生徒数の上限を40人にするように」と提案したことがもとになっている。

ん。**巨額の財政赤字を抱えている日本で、「少人数学級になるときめ細かい指導ができる」などという根拠のない期待や思い込みで、財政支出を行うのは極めて危険**だといわざるを得ないのです。

しかし、結局、この議論は、財務省と文部科学省のどちらからも信頼できるデータや分析に基づくエビデンスが示されることもなく、35人学級が据え置きとなる顛末を迎えました。

このように、いまだに日本では、教育という重要な分野において国際水準から著しくかけ離れた議論が行われてしまっています。今後は、日本も海外のように、効果測定によるエビデンスに基づいて教育政策のあり方を議論していくべきでしょう。

15年間で20％以上減少した日本の教育支出

私が教育分野におけるエビデンスの重要性を訴えるのは、日本の財政状況の悪化と無関係ではありません。

日本の財政赤字は今、ＧＤＰの約２００％という他国に類をみない大きさに達しています。国民１人あたりに換算すると、全員が約８００万円の借金を抱えているような状態です。

家計にたとえてみると、月収30万円の世帯が、毎月53万円を支出し、不足分を借金した結果、年度末には約５１００万円のローン残高を抱えている、というまさに切迫した状況にあることになります。さすがにこの状態では、いくら子どもの将来が大切だからといって、教育にだけ無尽蔵にお金を使うわけにはいきません。

当然、教育分野も例外なく厳しい予算獲得競争にさらされています。１５０ページの図28で示されているとおり、国の文教予算は15年前と比較すると20％以上も減少しているのです。

このような状況の中、「日本の教育に対する政府支出は国際的にみて低い水準にあるので、教育にもっとお金をかけるべきだ」という主張も聞かれます。

しかし、日本の公的教育支出の対ＧＤＰ比を現状の３・５％から先進国の平均である５％並みに上昇させるとすると、約７兆円の財源が必要になるといわれています。これ

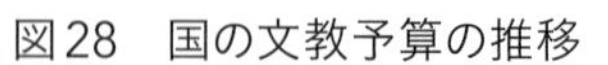
図28　国の文教予算の推移

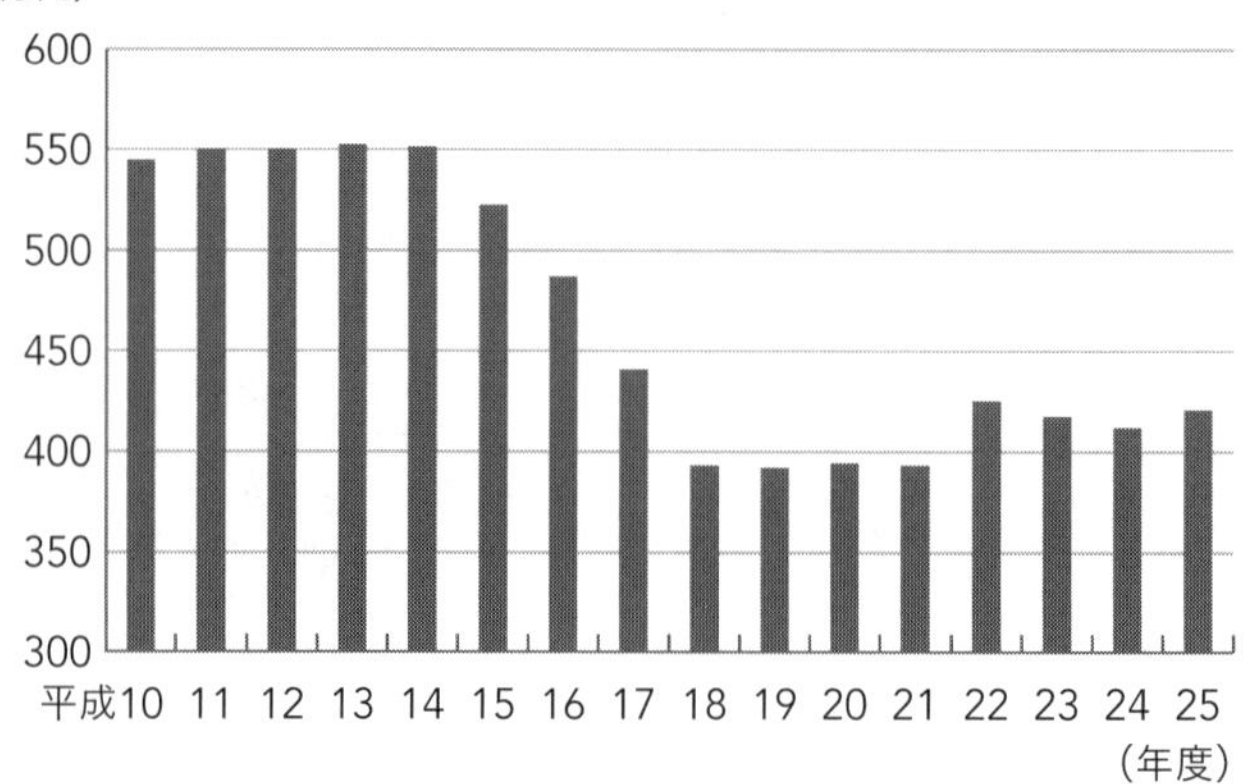

出所：文部科学省

は消費税3％分に相当する額です。消費税2％の引き上げを延期するために、総選挙まで実施しているこの国で、「教育支出を他の先進国並みにするために消費税を3％引き上げる」ことについて国民的な合意を得るのは、容易ではないでしょう。

だからこそ、国や家計が教育にかけられる限りあるお金という資源をどのように使うのかが重要なのです。

しかし現実には、過去日本が実施してきたさまざまな教育政策は、その費用対効果が科学的に検証されないままとなっています。

さらに、本来、手段にすぎないものが政策目的化しているという別の問題もあります。海外の政策評価においては、まず「学力の上昇」のように、教育政策の目的を明確にし、それを実現するためにどういった政策手段の費用対効果が高いのか、という検証を行います。一方、日本では、「2020年までにすべての小中学校の生徒1人に1台のタブレット端末を配布する」*という政策目標が掲げられたことからも明らかなように、

＊「2020年までにすべての小中学校の生徒1人に1台のタブレット端末を配布する」という目標は、民主党政権時代の2011年「教育の情報化ビジョン」で掲げられた。

「2020年までにすべての小中学校の生徒1人に1台のタブレット端末を配布する」は手段の目的化

本来、政策目的ではなく「手段」であるはずのものが政策目的化してしまっています。

重要なのは「タブレットを配布すること」ではなく、「何のために配布するのか」でしょう。この状況は効率的な資源配分を歪めている可能性があります。タブレットよりも、他のことに予算を使ったほうが子どもの学力や意欲の向上がみられるということも、十分にあり得るからです。

このように、これまでの日本の教育政策が予算獲得の根拠と説得性に欠けることが、教育財源の確保を困難にしてきたのではないでしょうか。財政難の日本だからこそ、エビデンスが必要なのです。

「学力テスト」に一喜一憂してはいけない

エビデンスベーストの教育政策を徹底するためには、子どもの教育成果——学力や将来の収入など——を数値化する必要があります。最近、学力を数値化した標準的な指標として、教育委員会や自治体に用いられているのが、文部科学省が毎年実施している「全国学力・学習状況調査」です。新聞などでも大きく報道されていますので、みなさんも目にしたことがあるかもしれません。

ここ数年の結果を見てみると、秋田県や福井県は上位の常連で、大阪府や沖縄県は下位の常連です。自治体や教育委員会は、この順位を少しでも引き上げようと、さまざまな施策を打ち出しています。

公表のたびに大きな話題になる学力テストの都道府県別順位ですが、実は私は、これは**学校教育の成果を測るうえではほとんど意味がない**と考えています。

第2章でもご紹介したとおり、学力の分析に用いるもっとも標準的な分析枠組みが、「教育生産関数」（45ページ図5）です。あらためて説明すると、教育生産関数における アウトプットは学力であり、インプットは、図5にあるように、「家庭の資源」（親の年収や学歴、家族構成など）と「学校の資源」（教員の数や質、課外活動や宿題など）の大きく2つに分けられます。そして、標準的な学力の分析においては、**家庭の資源が学力に与**

えている影響を取り除いたうえで、学校の資源が、それぞれどの程度子どもの学力に影響を与えているかを明らかにしようとします。

なぜなら、自治体や教育委員会などの政策担当者からみると、教育生産関数における「家庭の資源」というインプットは政策ではコントロール不可能だからです。自治体や教育委員会が、子どもの親の年収や学歴、家族構成を変えることはできません。一方、「学校の資源」というインプットは政策でコントロールすることができます。学校の資源のうち、学力を上げる可能性が高いものに集中して、多くの予算をつけるようにすればよいからです。新潟大学の北條准教授らの分析では、子どもの学力の50%が家庭や本人の要因で決定されているそうですから[71]、いかに家庭の資源の影響を適切に取り除くことが重要か、おわかりいただけると思います。

さらには、学力には遺伝の影響も大きいことがわかっています。私が行動遺伝学の専門家である九州大学の山形准教授らとともに行った研究では、中学3年生時点の子どもの学力の35%は遺伝によって説明できることが、明らかになっています[72]（図29）。

これ以外にも、生まれ月、生まれ順、生まれたときの体重など、どう考えても子ども

図29　学力を決めているのは何か―遺伝の重要性

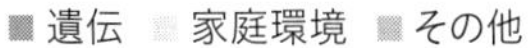

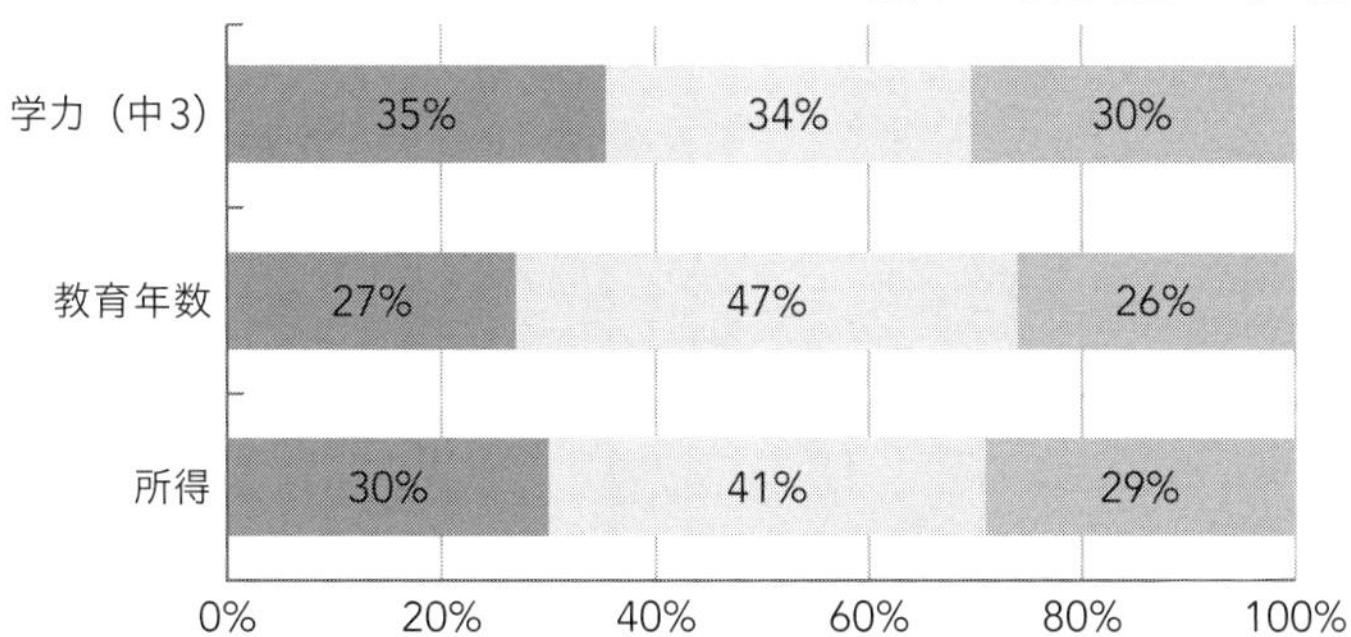

出所：Yamagata, S., Nakamuro, M. & Inui, T. (2013) Inequality of opportunity in Japan: A behavioral genetic approach. RIETI Discussion Paper, 13-E-097.

自身にはどうしようもないようなことが、子どもの学力や最終学歴に因果効果を持っていることを示すエビデンスもあります。[73][74][75] 身も蓋もありませんが、これが経済学の研究の中で明らかになっている真実です。

「どういう学校に行っているか」と同じくらい、「どういう親のもとに生まれ、育てられたか」ということが学力に与える影響は大きいのです。

先ほどの北條准教授が日本のデータを用いて教育生産関数を推計したところ、家庭の資源が学力に大きな影響を与える一方で、学校の資源はほとんど統計的に有意な影響を与えなかったことも明らかになっています。[76][77]

私たちが期待しているほどに、学校の資源は生徒の学力に影響を及ぼしてはいないかもしれません。そうだとすれば、**学力テストの県別順位は、単に子どもの家庭の資源の県別順位を表しているにすぎない可能性もあるのです。**

学力テストの順位が表すものとは

学力テストの都道府県別順位が家庭の資源の順位にすぎないのだとしたら、親の年収や学歴が高そうな首都圏の東京や神奈川・千葉・埼玉あたりが上位入りしないことを不思議に思われる人がいるかもしれません。

実は、これには事情があります。全国学力・学習状況調査は、私立校も自由に参加してよいことにはなっていますが、まだまだ参加校が少ないため、実質的には「日本の小・中学生の学力テストの都道府県別順位」ではなく、ほぼ「日本の**公立**小・中学生の学力テストの都道府県別順位」となっているのが現状なのです。

学力が高い子どものほうが私立小・中学校に通っているとすれば、公立小・中学校を主体とした比較では、私立小・中学校の在籍者比率が高い東京、神奈川、高知、奈良、京都あたりは自然と、実力よりも順位が低くなる傾向があります。その証拠に、学習塾大手の四谷大塚が集計している「全国統一小学生テスト」の県別順位を見てみると東京、

図30　全国学力・学習状況調査(文部科学省) vs 全国統一小学生テスト(四谷大塚)

文部科学省「全国学力・学習状況調査」
小学6年生　算数A　平均正答率

順位	都道府県	平均正答率
1	秋田	83.2
2	福井	78.6
3	京都	78.2
4	青森	78.1
5	広島	77.3
6	東京	76.5
7	鳥取	76.5
8	富山	76.1
9	石川	76.1
10	岩手	75.6

四谷大塚「全国統一小学生テスト」
成績上位三〇〇番出現率

順位	都道府県	出現率
1	東京	0.92
2	神奈川	0.47
3	千葉	0.46
4	埼玉	0.35
5	奈良	0.32
6	福岡	0.32
7	広島	0.29
8	愛媛	0.28
9	茨城	0.19
10	熊本	0.19

注：全国統一小学生テストは、四谷大塚（2011年6月実施分）、全国学力・学習状況調査は、2010年度の小学6年生算数Aの平均正答率を集計。
出所：文部科学省、四谷大塚

神奈川などが上位になっています。こちらは、私立も含んだ調査だからです（図30）。

なぜ、教育生産関数のアウトプットである学力テストの結果だけを見ても、政策的に有用な情報はほとんど得られないか、おわかりいただけたと思います。

学力テストの結果だけをみても、政策的に有用な情報はほとんど得られない

学力の分析の本質は、アウトプットである学力とインプット――家庭の資源や学校の資源――の関係を明らかにし、何に重点的に投資をすれば子どもの学力を上げられるかを示すことにあるのです。しかし、私の知る限り、そのことを正しく理解している自治体や教育委員会は少なく、単純に都道府県別順位に一喜一憂してしまっているように見受けられます。

多くの自治体や教育委員会は、全国学力・学習状況調査の都道府県別順位が発表されるたびに、正答率が低い問題にどのような指導法や教材などが有効かを詳細に分析した報告書をまとめて公表したりしています。そうした分析は、暗に正答率が低いことの原因が指導法や教材にあるという前提を置いていることになりますが、本当に学校の資源

の中の、指導法や教材がそんなに大きく学力に影響しているのでしょうか。

私は、指導法や教材の効果を分析すること自体を否定するわけではありません。しかし、正答率が低いことの原因が何であるかを突き止めることをせずに、指導法や教材をどのように改善すべきかを議論するというのは、分析の重要なステップを省略してしまっているといわざるを得ないのです。

学校別順位は公表すべきか

2014年に、文部科学省は、全国学力・学習状況調査の自治体別・学校別の結果を公表するかどうかは、各教育委員会の判断に委ねることを決定しました。それ以来、公表の是非をめぐっては、活発な議論が行われています。

実は、私は公表については、慎重な立場です。多くの人から、「経済学者だから順位は公表して、学校間の競争を促せというのかと思った」と驚かれるのですが。

私としても、順位の公表が学校や教員に「正しく」プレッシャーをかけ、学校間や教員間での「健全な」競争がもたらされるのであれば、反対する理由はありません。

しかし、現実にはそううまくいかないだろうと思うのです。

子どもの学力には、遺伝や家庭の資源など、さまざまな要因が影響しています。しかし、なぜか人々は、学力というと、すぐに教員や指導法、教材などが強く影響していると考えてしまうようです。このため、もし今、学校別の順位が発表されて、A校は1位、B校は20位であることがわかると、多くの人は、「A校は優れた教育をしているが、B校はそうではない」と短絡的に考えてしまうおそれがあります。

しかし、もしかするとA校には、もともと教育熱心な家庭出身の学力の高い子どもたちが通っており、B校にはあまり教育熱心でない家庭出身の学力が低い子どもたちが通っているだけかもしれません。その場合、A校の先生たちはあまり苦労もせずにうまく学級経営ができていて、一方、B校の先生たちは、もともと家庭の資源が不足している子どもたちに対して、なんとか彼らの注意をひきつけ、勉強の大切さを言い聞かせて、必死に学力の底上げを図ろうと奮闘している、という可能性も十分にあり得るのです。

ところが、学力テストの結果だけをみると、A校のほうがB校よりも「教育力が高い」ということになってしまいます。これでは、学校や先生たちの努力を正しく評価しているとはいえません。学力には、家庭の資源と学校の資源の両方が影響を与えており、そして家庭の資源の影響はかなり大きい――このことを正しく理解せずに、**学力テストの結果を学校名とだけ紐づけると、本来学校や教員が負うべきでない責任を、彼らの責任にしてしまいます。**これでは、正しく学校や教員にプレッシャーをかけ、学校間や教員間での健全な競争をもたらすことにはなりません。むしろ、有害である可能性すらあります。

公立学校の場合は、文科省の定める指導要領の範囲内で教育をしなければならないため、教員の裁量の余地は多くありません。勝手に教科書を変更したり、授業時間を延ばしたりはできません。

このような状態で、学校別順位が公表されるとどうなるでしょうか。学校や教員は努力の方向性を見失い、テストの実施前日に行き過ぎた対策授業をしたり、子どものテストの結果を改ざんしたり、テストにかんするもの以外の仕事をおろそかにしたりする誘因を持つかもしれません。

このうち「結果の改ざん」は実際に起こった事例です。シカゴ大のレヴィット教授はベストセラーとなった著書『ヤバい経済学』の中で、公立学校に成果主義を導入（子どもの成績と教員の給与を連動させる）すると、教員が子どものテストの結果を改ざんした、という論文を紹介しています。[78] また、教師の出勤に応じてボーナスを支払うようにすると、今度は校長が「すべての教員がボーナスを得られるように」と出勤簿を改ざんしてしまったことを明らかにした研究もあります。

もしも学力テストの結果を公表するなら、家庭の資源を表す情報も紐づけて公開すべき

もしも順位を公表するなら、学校名だけでなく、その学区の生活保護率、就学援助率、学習塾等事業者の数や売り上げなど、家庭の資源を表す情報も紐づけて公表すべきです。そうすれば、学力が学校の資源だけで決まっていないことは一目瞭然ですし、「子どもの学力を上昇させるためには、学校だけでなく、保護者や地域が力を合わせて取り組んでいかなければならない」というメッセージを発信することにもつながるでしょう。

東京都教育委員の乙武洋匡氏は、文部科学省参与の鈴木寛氏との対談で、個人情報を保護するという目的から、学校が家庭の情報を十分に得られないことを問題視しています。

鈴木氏もまた、教室の中だけで、子どもたちの学びを最適化することがいかに困難であるかということを指摘しています（乙武洋匡の「自問自答」、『R25』２０１４年8月29日）。

私もお二人の意見に強く同意します。

学力は学校だけでは決まりません。子どもが1日のうち少なくとも半分以上を過ごす家庭は、学校と同様に、ときには学校以上に大切な場所なのです。学校と家庭は、緊密に連絡を取りつつ、情報を交換することがどうしても必要だと思います。

行き過ぎた「平等主義」が格差を拡大させる

家庭の資源の格差が、そのまま子どもたちの学力の格差につながらないように、十分な注意が必要です。しかし、日本の公教育ではとにかく「平等」が重視されるため、一部の子どもや学校のみを対象にした教育を行うことはよしとされてきませんでした。**家庭の資源に格差がある中で、すべての子どもに同じ教育を行えば格差が拡大していくだけ**ですが、その矛盾は見過ごされがちです。

この「平等主義」が格差をもたらす矛盾を明らかにするために、学習到達度調査*（ＰＩＳＡ）で、日本の子どもたちの学力に顕著な低下がみられた２００３年、２００６年に何があったのかを見てみましょう（この時期の学力低下は「ＰＩＳＡショック」と呼ばれています）。いわゆる「ゆとり教育」の真っただ中でもあったこの時期、１６６ページの図31で示されているとおり、学力の高い子どもと低い子どもの格差が広がったことが確認されています。

＊学習到達度調査とは、ＯＥＣＤが実施している15歳の子どもを対象にした、読解力・数学的リテラシー・科学的リテラシーに関する国際的な学習到達度調査で、３年ごとに実施される。一般に調査名の頭文字を取ってＰＩＳＡと呼ばれる。

図31　習熟度別にみたPISAスコア

■読解力

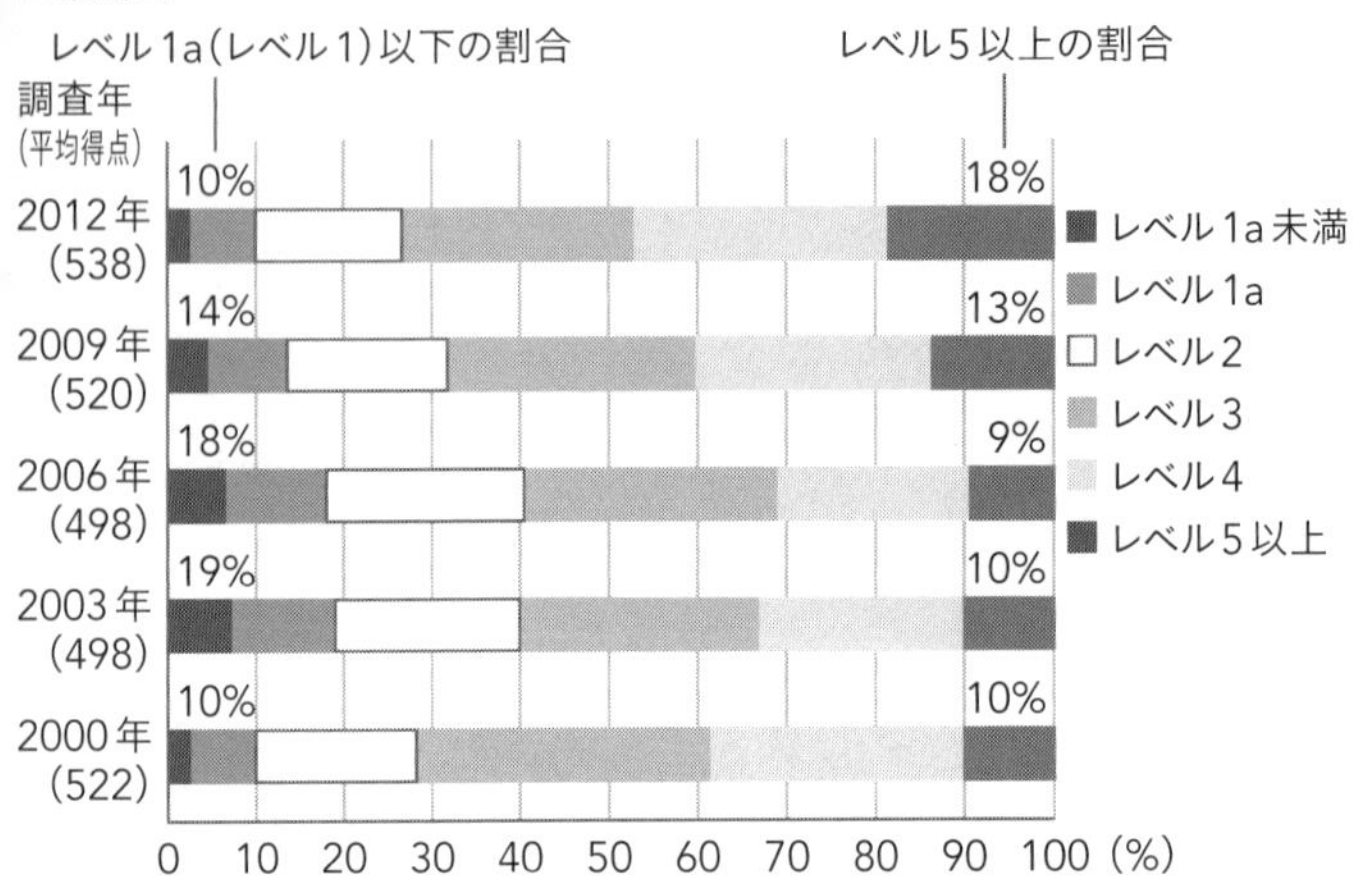

■数学

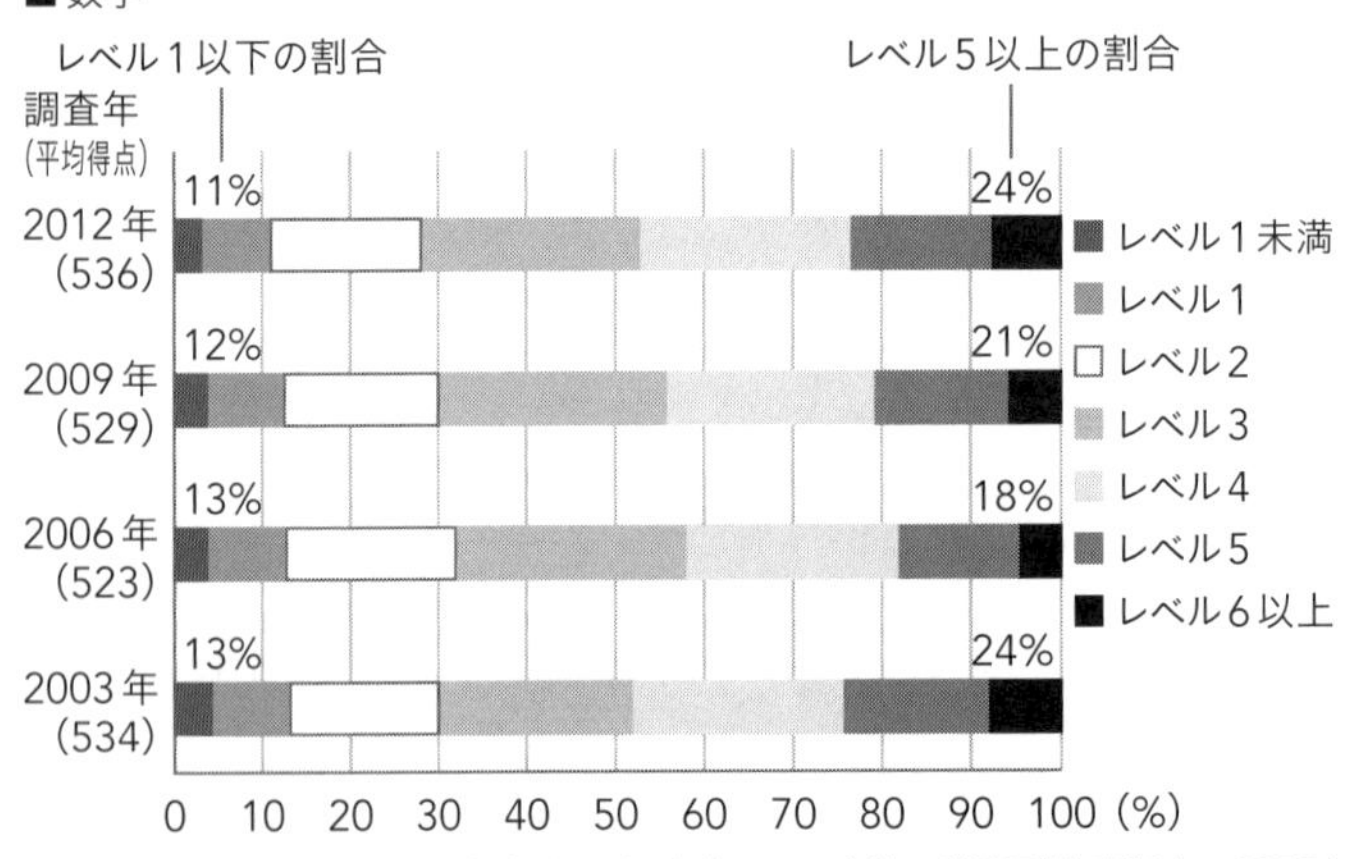

出所：文部科学省　国立教育政策研究所「OECD生徒の学習到達度調査―2012年調査分析資料集」

ある世代の子ども全員を対象にして「平等」に行われた政策は、親の学歴や所得による教育格差を拡大させてしまうことがある

どうして、ゆとり教育が実施された時期に子どもの学力格差が拡大したのでしょうか。きっかけは、週休2日制でした。

一橋大学の川口教授の研究によれば、ゆとり教育の一環として学校週休2日制が導入された2002年の前後で比べると、子どもたちの学習時間にはある変化が見られました[79]。親の学歴によって、子どもの学習時間に顕著な格差が生じていたのです。

学歴の高い親に育てられた子どもは、土曜日の学習時間の減少を平日の学習時間の増加で埋め合わせたのですが、学歴の低い親はそのような行動を取らず、結果として土曜日が休みになったことで、学習時間の格差が生じた形となりました。

九州大学の武内准教授らの研究でも、学校週休2日制が始まった後に、とくに高所得者層が子どもの学習費（とりわけ塾などへの支出）を増加させたことが明らかになっています[80]。このように、ある世代の子ども全員を対象にして「平等」に行われた政策は、親の学歴や所得による教育格差を拡大させてしまうことがあるのです。

そしていったん親の学歴によって生じた格差は、子どもの年齢とともに拡大していく可能性があります。私が早稲田大学の松岡助教らとともに厚生労働省の「21世紀出生児

図32　親の学歴による子どもの学習時間格差

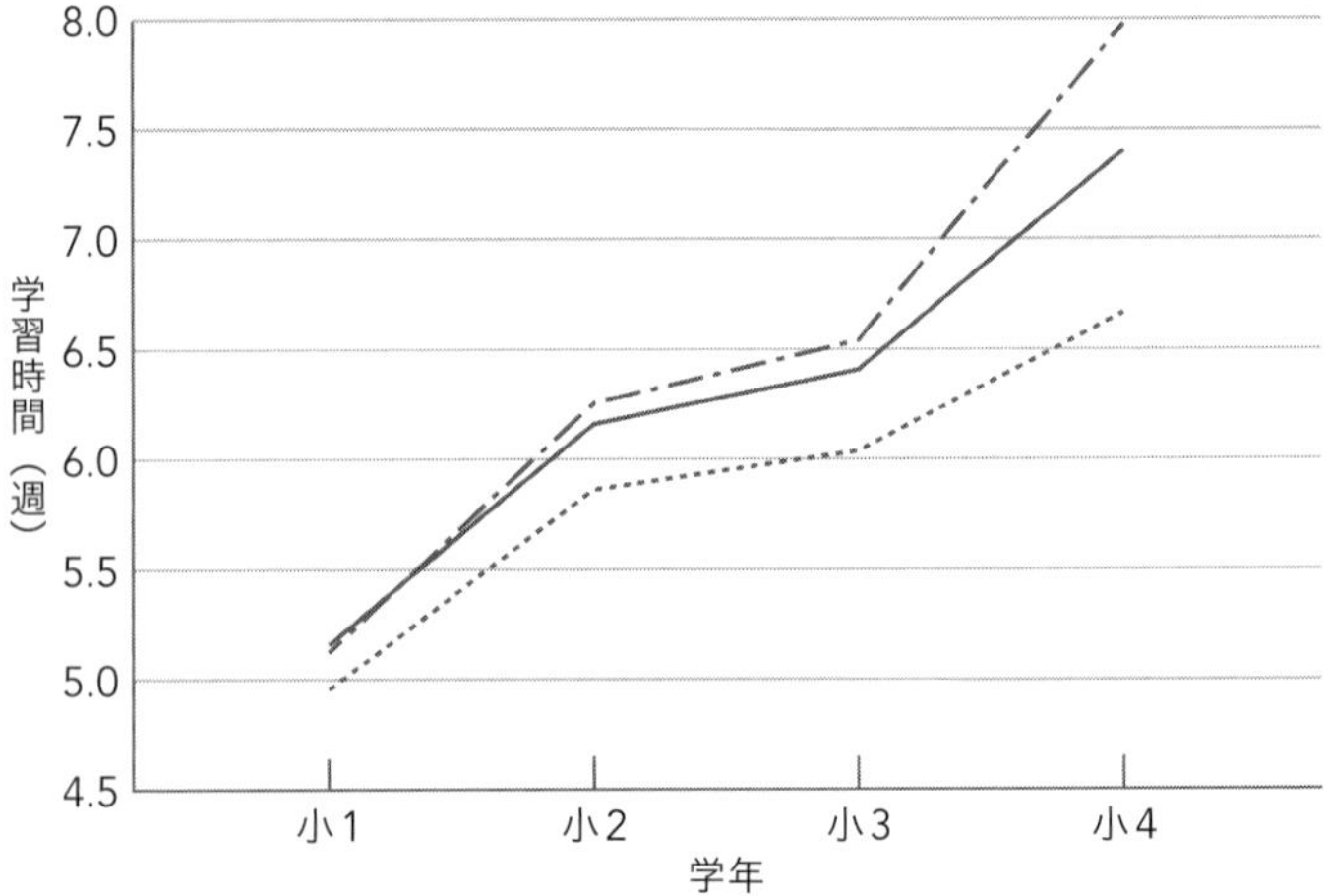

注：親の学歴による週あたりの学習時間の平均値を示している。
出所：Matsuoka, R., Nakamuro, M., & Inui, T. (2013) Widening educational disparities outside of school: A longitudinal study of parental involvement and early elementary schoolchildren's learning time in Japan. RIETI Discussion Paper, 13-E-101.

縦断調査」を用いて行った2つの実証研究では、**親の学歴による学習時間の差は、図32で示されているとおり、子どもの学年が上昇するにつれ拡大していく傾向がある**ことが示されています[81]。

子どもの貧困を解決するためには

親の学歴や所得が低いがために、その子どもが十分な教育を受けられず、また低学歴・低所得に陥っていく状態を「貧困の世代間連鎖」といいます[82]。文部科学省によると、義務教育を受ける子どものうち、就学援助制度*の利用者率は年々増加傾向にあり、2012年度には約16%に達しました（170ページ図33）。このうち、東京や大阪などの大都市圏はとくに高く、2012年度にそれぞれ24・2%、28・1%と全体の3割弱にも上っています。子どもの貧困はもはや、マイナーな問題ではありません。

＊就学援助：生活保護と同等程度に困窮しており、経済的理由によって子どもを就学させることが困難な保護者に対する援助。自治体によって制度や金額が異なる。

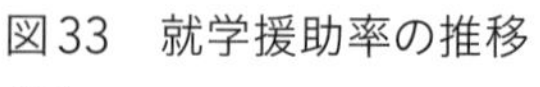
図33　就学援助率の推移

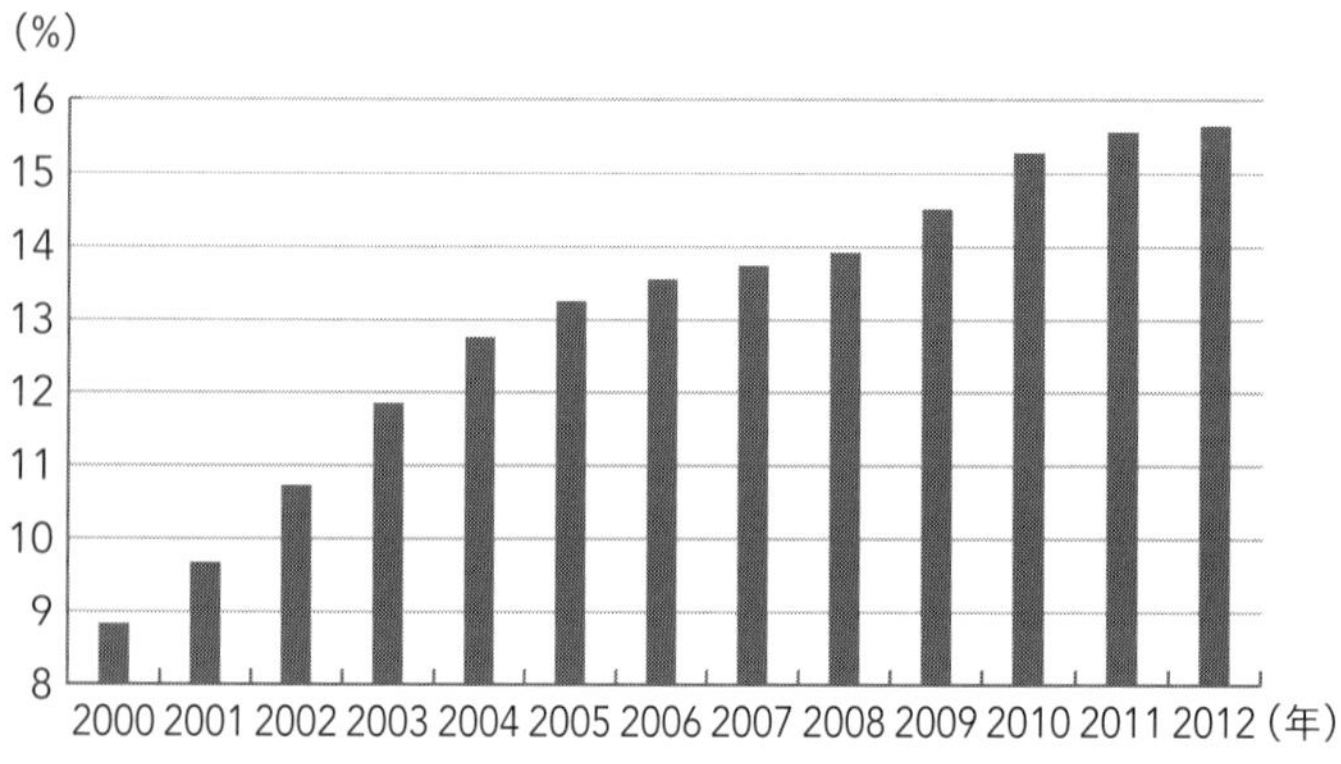

出所：文部科学省

一方で、自治体の就学援助関連予算は削減の方向にあり、就学援助を縮小する自治体が相次いでいます。2014年4月だけをみても、全国の主要自治体のうち、少なくとも9市区が、4月から就学援助の対象者を決める所得基準を引き上げました（朝日新聞2014年4月4日）。貧困に陥る子どもが増加するなかで、就学援助を縮小することは、貧困世帯の子どもをますます不利な立場に追いやるのではないかと心配されるところです。

貧困の世代間連鎖は、当然断ち切らねばなりません。しかし、家庭の資源の不足に対処するため、親への所得移転（＝補助金）を行えばよいかといえば、話はそう単純ではありません。

今までいくつかの開発途上国で、日本で行われたような「子ども手当」のような補助金が支給されたことがあります。[83] もしこの補助金を得た親の子どもの学力が高まれば、親への補助金は正当化されるはずです。

親への補助金が子どもの学力を上昇させる効果を持つかどうかについては、コンセンサスが得られていない

しかし、**実験の結果、「子ども手当」のような補助金は学力の向上には因果効果を持たなかった**ことが明らかにされています。

家庭の資源の格差によって生じる子どもの学力の格差を、親への所得移転によって解決すべきなのかについては慎重な議論が必要です。なぜなら、貧困家庭の親に対する所得移転が、子どもの学力を上昇させる因果効果を持つかどうかについては、いまだコンセンサスが得られていないからです。

誤解を招かないように強調しておきたいのですが、私は生活保護や就学援助を減らせといっているのではありません。家庭における資源の格差を、所得移転ではなく、学校の資源配分を変える、つまり、就学援助を受けている子どもや、そうした子どもの比率が高い学校には、重点的に学校の資源を配分するなどの方法によって解決できないかと考えているのです。

たとえば、少人数学級も選択肢のひとつです。136ページで示されたスタープロジェクトの結果をみても（図23）、**少人数学級は貧困世帯の子どもには効果がとくに大きかったことが明らかになっています。**このことからも、少人数学級を全国の公立小学校

の1年生「全員」を対象にするのでなく、就学援助を受けている子どもが多い学校のみで導入すれば、大きな効果がみられたかもしれません。

既に述べたとおり、家庭の資源が子どもの学力に与える影響は大きいのです。だからこそ、全員に同じ教育を行うことに拘泥せず、格差を縮小するような方向で学校の資源配分を考えるべきではないでしょうか。

資源配分の観点以外でも、私は日本の教育の「平等主義」に疑問を持っています。「平等主義」はときに意図せぬ結果を招くことがあるのです。

神戸大学の伊藤准教授らの研究では、**学校で平等を重視した教育―「手をつないでゴールしましょう」という方針の運動会など―の影響を受けた人は、他人を思いやり、親切にし合おうという気持ちに「欠ける」大人になってしまう**ことが明らかになっています。[84]

この理由を、この論文の著者の1人である大阪大学の大竹教授は、オックスフォード大学の苅谷教授の1995年の論文を引用しつつ[85]、次のように指摘しています。

平等主義的な教育は、「人間が生まれながらに持つ能力には差がない」という考え方が基礎となっています。ですから、努力次第で全員がよい成績を取れると考えるわけです。

しかし、残念ながら、現実にはそうではありません。子どもの学力には、遺伝や家庭の資源など、子ども自身にはどうしようもないような要因が大きく影響しています。しかし、平等主義的な教育のもとでは、こうした現実にはあまり目が向けられることはありませんでした。

この結果、子どもは、本人が努力しさえすれば教育によって成功を得られる、別の言い方をすれば、成功しないのは、努力をせずに怠けているからだと考えるようになってしまい、不利な環境におかれている他人を思いやることのないイヤなタイプの人間を多く育ててしまっているのです、と(『経済セミナー』、2015年2/3月号)。

世代「内」の平等、世代「間」の不平等

世代内の平等に固執すると世代間の平等が失われる可能性がある

日本の教育の「平等主義」は、エビデンスベーストの教育政策を実現するにあたっても足かせになっています。同じ世代の子どもに平等に教育を行うことは、実験でいうところの対照群をつくることが難しいので、教育政策の因果効果を定量的に明らかにすることができないからです。

政策評価の権威である英国ヨーク大学のトーガーソン教授らも指摘するように、子どもたちは時間とともに成長し、知識や技能を向上させる傾向がありますから、**ある教育政策を実施した前後で子どもたちの変化を比べると、あたかもそれが教育政策の効果であるかのように見えてしまうことがあります。**[86] しかし、子どもたちの変化は、必ずしも教育政策によってのみ起こるものではありません。だからこそ実験のように、比較可能なグループの差を見ることが、正確に政策の効果を把握するためには不可欠なのです。

また、世代内の平等を重視しすぎると、万が一にもその時の教育政策の舵取りが間違っていた場合、被害が世代全体に及んでしまいます。世代内では平等なのだからいいじゃないかという人もいるかもしれませんが、受験や就職では、その前後の世代と競争になることはよくあることですから、世代「内」では平等でも、世代「間」では不平等、という事態が生じます。「ゆとり世代」とか「ポストゆとり世代」などといわれているのは、世代「間」の不平等のいい例でしょう。

これが本当に「教育の平等」のあるべき姿なのでしょうか。私にはとてもそうは思えません。**ゆとり教育や子ども手当など、社会の要請に応じて開始されたものの、まるで流行が廃れるかのように、いつの間にか終わってしまった教育政策は枚挙にいとまがありません。**そのうえ、先にも述べたように、このように世代の子どもたち全員を対象にした政策は、子どもたちの成績、学歴、年収などに対して何らかの効果があったのかなかったのか、後にも先にもはっきりしないのです。これでは次にどのような手を打つべきかがわかりません。この状態は決して、公平であり平等である状態とはいえないでしょう。

私は、**世代内の平等に固執するあまり未来につながる政策評価ができない状態を続けるよりも、なるべく不平等をつくらずに実験を実施することに知恵を絞るべき**ではないかと思っています。たとえば、私が自治体と共同で実施している調査では、学級や学校を単位として、実験を行っています（これを専門用語で「クラスター実験」と呼びます[86]）。

こうした実験においては、1年間のうち、1学期は処置群の子どもたちが政策介入の対象になり、対照群の子どもたちは対象にならないのですが、2学期にはそれを逆転させて、1年を通してみると、すべての子どもが同内容の学習を受けることができるようにしています。このように、実験を行いつつも、教育に不平等が生じないよう工夫を施すことは可能なのです。

日本の教育経済学者が求めているもの

貧困の世代間連鎖のように、今まさに起こっている日本の教育問題に、教育経済学はまだ有効な処方箋を提供できていません。海外と比べて、日本の教育経済学の研究蓄積は質量ともに不十分だからです。日本で質の高い分析を行い、政策に貢献するためには何が必要なのでしょうか。

まず、正しく因果関係を証明するためには、データを収集する段階から、因果関係を証明することを念頭に置いたデザインにしなければならないのですが、日本の統計にはそもそもその認識が欠如しているものが多いという問題があります。

さらに、研究者が利用できるデータが限られている、という別の問題も存在します。たとえば、全国学力・学習状況調査は、文部科学省やその関連機関に所属する研究者など、限られた人以外はアクセスできません。

なぜなら、全国学力・学習状況調査は統計法で定められた「統計」ではないからです。「統計」であれば、研究者はアクセス可能なのですが、実際は「意見・意識など、事実に該当しない項目を調査する世論調査など」（総務省のウェブサイトより）という扱いになっており、研究者はこのデータを学術研究に用いることができないのです。

第三者機関による政策評価を

私は、この状態にはとても疑問を持っています。医学などの自然科学では、同じデータを用いた実験から同じ結果が得られるという「再現性」が保証されなければ、その結果は科学的に妥当なものとみなされません。これは、経済学を含む社会科学の領域でも同じです。特定の研究者にしかアクセスできないデータでは、再検証はできず、再現性が確保されているとはいえません。また、先にも述べたとおり、文部科学省やその関連機関などが行った調査・研究を「客観的」な政策評価と呼ぶに値するのかどうかにも、疑問が残ります。

最近、佐賀県教育委員会が、タブレット端末の導入が県内の高校生の学力に与える効果を測定した際、タブレットを導入していない学校でも学力の上昇が認められていたにもかかわらず、導入校の学力上昇のデータだけを示し、「タブレットの導入によって学力の向上が認められた」と発表し、大きな問題となりました（佐賀新聞、2013年12月24日）。自分たちが行った政策の効果を自分たちで検証するとなると、都合の悪い情報は出さないでおこうという誘因が働くのは当然のことですから、その状態で客観性を担保するのは難しいといわざるを得ません。

このように、教育委員会や自治体が、データを外部に公開することを避け、自分たちだけで分析しようしている例が散見されますが、**政策評価は第三者機関が中立性を担保しつつ行うのが望ましいと考えられます**。米国では、大学に加えてアーバンインスティテュートやランド研究所、ブルッキングス研究所のような政府から独立した政策系シンクタンクが政策評価においておおいに活躍しています。日本でも同様に、利害関係を持たない第三者機関による政策評価を徹底する必要があるでしょう。

私が世界銀行に勤務しているとき、南アフリカ政府の関係者にインタビューをする機会がありました。南アフリカは、労働力調査や家計調査などの政府統計の個票データをインターネット上で世界中のすべての人に公開しています。この理由について尋ねたところ、「データを開示すれば、政府がわざわざ雇用しなくても、世界中の優秀なエコノミストがこぞって分析をしてくれる」という答えが返ってきました。

なんというクレバーな方法でしょうか。研究者は、常に「Publish or Perish（出版か、消滅か）」という強いプレッシャーに晒されていますから、情報量が多く、代表性のあるデータであれば、多くの研究者はそのデータを分析して、論文を書きたいと思うでしょう。南アフリカ政府は、その研究者の性質をうまく利用しているのです。実際に南アフリカ経済に関する研究はデータを公開するようになってから、急速に進みつつあります。

国民の税金を投じて収集されたデータは国民の財産

統計はただではつくれません。文部科学省によると、全国学力・学習状況調査の実施には50億円以上が投じられています（学級規模を35人から40人にしても削減できる費用が86億円にすぎないにもかかわらず！）。

国民の税金を投じて収集されたデータは政府の占有財産ではありません。国民の財産であるべきものです。このデータを有効利用してほしいと思っているのは、私だけではないはずです。

第5章

“いい先生”とはどんな先生なのか？

日本の教育に欠けている教員の「質」という概念

「いい先生」に出会うと人生が変わる

第4章では、子どもの学力には家庭の資源が大きく影響していて、学校にできることは私たちが想像している以上に少ないかもしれないと述べました。しかし、学校が、子どもの家庭環境の不利を挽回する力を持たないわけではありません。実際、みなさんの中には、学校で素晴らしい先生に教えを受けて、人生が変わったという経験をした人は少なくないはずです。かくいう私自身も、高校や大学で素晴らしい師と出会い、人生が変わるような体験をしました。

この章で私が伝えたいこと、それは**遺伝や家庭の資源など、子ども自身にどうしようもないような問題を解決できるポテンシャルを持つのは、「教員」だということです。**

教員は教育の要です。これは、教育経済学におけるあまたの実証研究の中でも明らかになっています。教員の「質」[*]に関する研究をリードしてきたスタンフォード大学のハヌシェク教授によると、もともとの学力の水準が同程度の子どもたちに対して、能力の

能力の高い教員は、子どもの遺伝や家庭の資源の不利すらも帳消しにしてしまうほどの影響力を持つ

高い教員が教えた場合、子どもたちは1年で1・5学年分の内容を習得できたのに対して、能力の低い教員が教えた場合は、0・5学年分しか習得できませんでした。[87] 1年間で実に丸1年間分もの習得の差が生じたことになります。ハヌシェク教授はこの結果をもとに、能力の高い教員は、子どもの遺伝や家庭の資源の不利すらも帳消しにしてしまうほどの影響力を持つと結論づけています。

では、「いい先生」とはいったいどんな先生なのでしょうか。授業に対して学生の満足度を尋ねる「授業評価」は、教員の質を計測するひとつの方法でしょう。しかし、授業評価が正しく教員の質を測ることができているのかは定かではありません。

テキサス大学のハマーメッシュ教授らは授業評価にかんする研究の中で「美人の先生ほど授業評価が高かった」という身も蓋もないような結果を明らかにしています。[88] 私もときどき大学で「美人ですね」といわれることがありますが、それはたいてい成績の芳しくない学生と成績について話しているときに限られていますので、自分の実力につい

＊教育経済学では、「ある教員がどれくらい優れた教員か」ということを教員の「質」という指標で計測する。

ては正確に把握しているつもりです。

教員の質を計測する別の方法に、「教員の担当した子どもの成績の変化でみる」というものがあります。たとえば、図34で示されているように、生徒Aが小学4年生のときに標準テストで35点だったのが、5年生のときには55点になっていたという場合、この間のテストスコアの上昇分はこの生徒を担任した教員の教育力によってもたらされたのだと考えるわけです（逆に、生徒Bのように下落した場合も同様）。この学力の変化を経済学の専門用語で「**付加価値**」（value-added）と呼びます（図34）。

カリフォルニア州では、教員の「付加価値」はウェブ上で公開されている

188ページの図35をみてください。これは、米国カリフォルニア州の有力紙「ロサンゼルス・タイムズ」のウェブサイトで公開されているものの概念図です。

サイト上で教員名を入力すると、その教員がどの学校のどの学年を担当していたかという情報が表示されます。さらに、その教員が担当していた子どもたちの州標準テストの結果から算出された付加価値と、その教員がカリフォルニア州全体でどのくらいの位置にいるかということまでもが示されます。教員の質を測る指標として、米国では「付

図34　付加価値とは

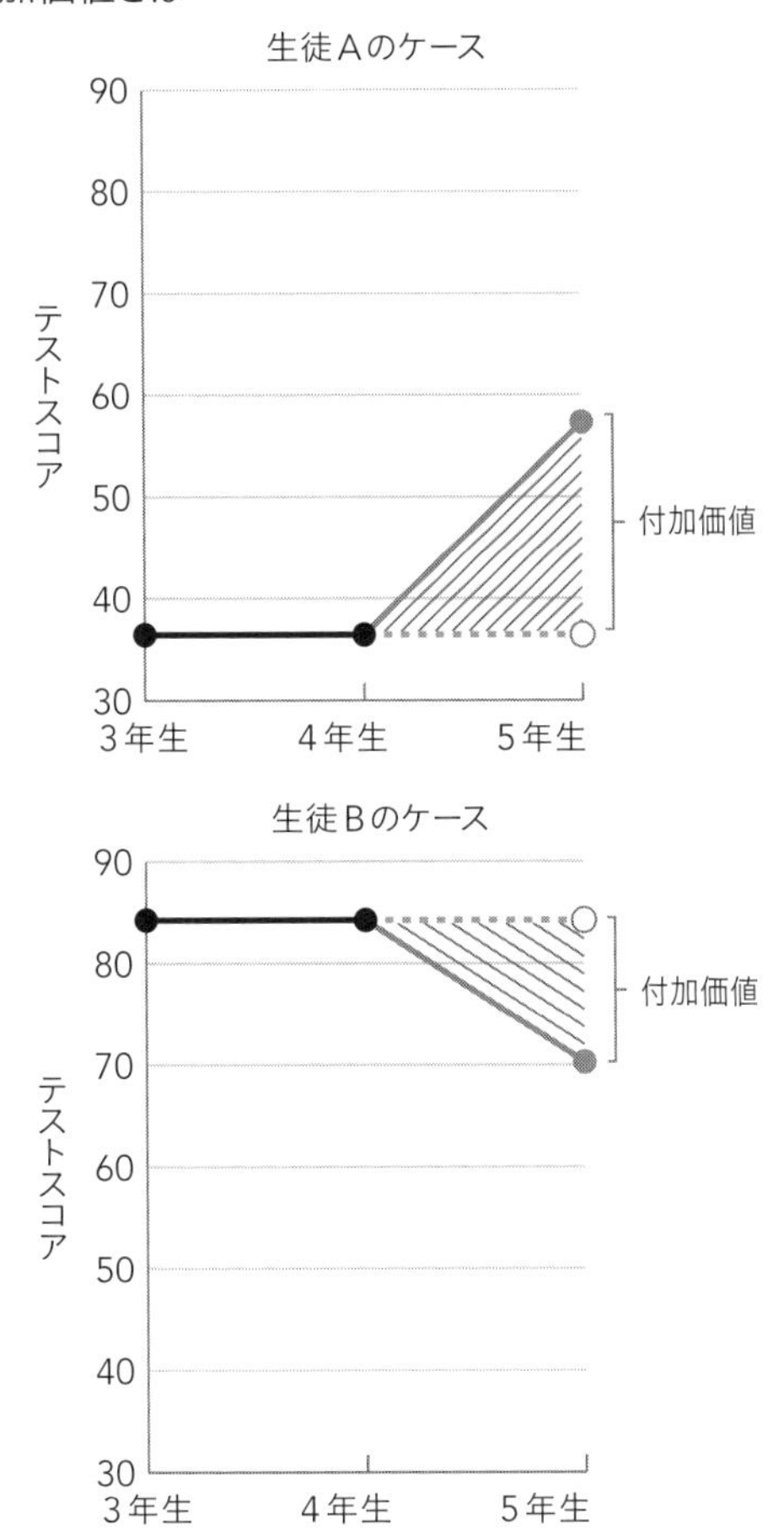

出所：California Standards Tests, Los Angeles Unified School District, Times reporting

図35　米国では誰でもアクセスできる教員の「質」という情報

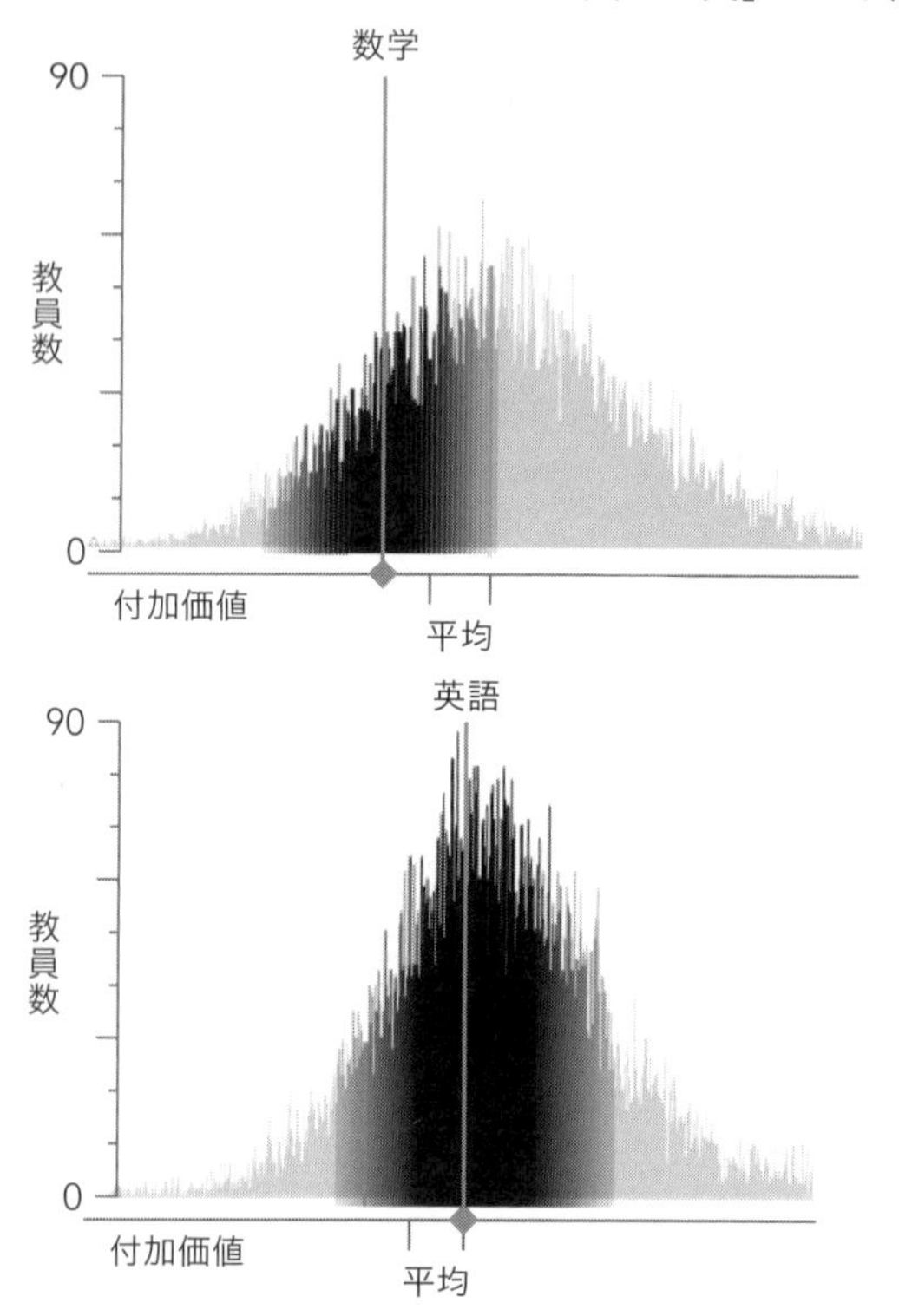

注：1. ロサンゼルス・タイムズは、11500人の教員に対して、2004年から2005年にかけてと、2009年から2010年にかけての小学校3～5年生の付加価値を、英語と数学のそれぞれについて算出した。
2. 図はその付加価値を分布で表したもの。
3. 図は、分布の右に位置する教員ほど、教えた子どもの付加価値が高い教員であることを示し、左に位置する教員ほど、付加価値が低い教員であることがわかる。この図の教員の場合、数学の付加価値は平均以下で、英語の付加価値は平均を上回っていることがわかる。

出所：ロサンゼルス・タイムズ

加価値」はすでに一般化しています。それゆえ、教員の名前さえわかっていれば、どこの誰でもアクセスできる情報として公開されているのです。

しかし、付加価値が高いからといって、教員の質が高いと判断してよいのかは、経済学者の間でも長年議論が行われてきました。

付加価値が教員の質の因果効果をとらえることができているのか、教員の質を計測するうえでバイアスのない指標であるといえるのか、そしてもし仮に付加価値が教員の質を正しく計測できていたとして、単に子どもの学力を上げるだけでは、長い目でみて子どもたちを本当の意味で成功に導いていないのではないか、など論争は尽きませんでした。

この状態に終止符を打つべく、経済学の一流誌である『アメリカン・エコノミック・レビュー』に2本の論文を発表したのが、ジョン・ベイツ・クラーク賞の受賞者でもあるハーバード大学のチェティ教授らの研究グループです。

チェティ教授らは、全米の大都市圏の学校に通う100万人もの小・中学生のデータと納税者記録の過去20年分のデータを用いて、**付加価値が教員の質の因果効果をとらえるのに、極めてバイアスの少ない方法であることを明らかにしました**[89]。

さらに、質の高い教員は、ただ単に子どもの学力を上昇させていることにとどまらず、10代で望まない妊娠をする確率を下げ、大学進学率を高め、将来の収入も高めているということをも明らかにしました[89]。付加価値は、短期的にも長期的にも、教員の質を計測することに成功していることになります。

チェティ教授らは、付加価値でみたときに下位５％に位置する教員を、平均的な教員に置き換えるだけで、子どもの生涯収入の現在価値を、学級あたり２５００万円も上昇させることができると推計しています。教員の「質」の改善によって、私たちの社会や経済が得る便益はとても大きいのです。

少子化が進んでいく中では、少人数学級によって教員の「数」を増加させることよりも、教員の「質」を高める政策のほうが、教育効果や経済効果が高い可能性があるのではないでしょうか。

チェティ教授らの研究グループが明らかにしたことをもう一度まとめると、ある子どもの学力の上昇幅で表される「付加価値」は、教員の質を計測する指標として有用だということです。そして、付加価値こそが教員の質を示すのであれば、「いい先生」とは、昨年も今年もクラスの平均点が80点である先生ではなく、昨年の平均点は30点だったけれども今年は35点にできる先生だということになります。

ある子どもを、他の子どもや集団と比較するのではなく、過去のその子自身と比較して昨日より今日、今日より明日と伸ばしてやれる先生こそが、「いい先生」なのです。

ここで次に問題になるのは、「いったいどうすれば教員の質を高めることができるのか」ということです。

給与やその他の処遇を改善するべきなのでしょうか。教員研修などで教員の能力を高めるべきなのでしょうか。それとも、そもそも能力の高い人を教員として採用することができるようにすべきなのでしょうか。

教員を「ご褒美」で釣ることに効果はあるのか

教員の質を上げるために、真っ先に思いつく政策手段は、教員の給与やボーナスを成果主義にすることです。つまり、「あなたの生徒の成績が上がったら、給与やボーナスが上がりますよ」という仕組みにするのです。

実際に、米国では少なくとも10州が、給与やボーナスを成果主義にすることで、教員の質を上げようと試みてきました。しかし、かなりの数の研究が行われている中で、**教員の給与を上げることが、教員の質を高め、子どもたちの意欲や学力の改善につながることを示したエビデンスは決して多いとはいえません**。[90]

2000年代後半に、米国の名門シンクタンクであるランド研究所とヴァンダービルド大学のスプリンガー専任講師らの研究チームが、テネシー州のある学区で、約34の中学校の中学生約2万人と296人の数学教員を対象にして行った「ポイント（POINT）」と呼ばれる実験では、担当したクラスの生徒の付加価値の上昇に対して、最大1

万5千ドルのボーナスが支払われるという成果主義が導入されました。[91]

この実験では、ボーナスを得られる教員（＝処置群）と、得られない教員（＝対照群）がランダムに割り当てられました。

ボーナスを得られる教員が担当したクラスの子どもたちは成績が上昇するのではないかとの仮説のもとで検証が行われましたが、実際には成績の上昇は見られませんでした。さらに驚くべきことに、ボーナスを得られる教員は「担当したクラスの生徒の付加価値が上昇すればボーナスが得られる」ことを知らされた後も、教材や授業法を改善するなど、生徒の成績を改善するための努力をした形跡はみられなかったことも報告されています（194ページ図36）。

成果主義が教員の質の改善につながらない理由は、実のところよくわかっていません。今のところ、公立学校の教員は裁量の余地が少なく、成果主義が導入されたとしても教員個人にできることが限られていて、成果主義が努力する誘因を持たないのではないかというのが有力な仮説です。

図36　ポイント（POINT）実験

実験の設計

- 仮説：成果主義は教員の質を高める
- 予想される結果：ボーナスあり教員が担当した生徒の成績>ボーナスなし教員が担当した生徒の成績
- 対象者：テネシー州の中学生と数学教員

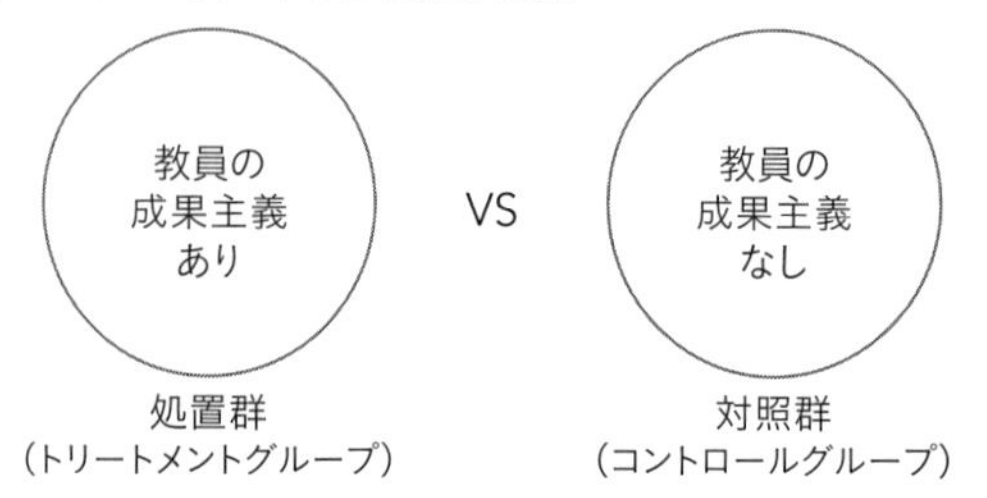

- 結果：ボーナスあり教員が担当した生徒の成績＝ボーナスなし教員が担当した生徒の成績

出所：Springer, M. G., Ballou, D., Hamilton, L., Le, V. N., Lockwood, J. R., McCaffrey, D. F., & Stecher, B. M. (2011). *Teacher pay for performance: Experimental evidence from the project on incentives in teaching (POINT).* Society for Research on Educational Effectivenessをもとに筆者作成

一方、成果主義について、やや異なる視点を提供してくれる研究もあります。ハーバード大学のフライヤー教授は、問題なのは成果主義そのものではなく、「与え方」だと指摘しました。第2章で「目の前のにんじん作戦」としてご紹介した米国の5都市で実施された実験は、子どもに対するご褒美だけでなく、教員に対するご褒美の効果についても検証しています(7)。

この研究の面白さは、「ボーナスが教員の質を高めるかどうか」に注目した他の研究とは異なり、ボーナスの「与え方」の影響をみようとしたところにあります。

フライヤー教授は、ボーナスを受け取る権利を持つ教員を、ランダムにボーナスを「得る」グループと「失う」グループの2つに分けました。

ボーナスを「得る」グループは、付加価値の上昇に応じて学年末にボーナスが得られますが、もうひとつのボーナスを「失う」グループは、最初に一定のボーナスを得られるのですが、学年末に目標の付加価値を達成できなかった場合はそのボーナスを返還しなければなりません。ただし、どちらのグループもボーナスの金額は同じです。

図37　ボーナスを「得る」または「失う」実験

実験の設計

- 仮説：成果主義は教員の質を高める
- 予想される結果：ボーナスを「失う」教員が担当した生徒の成績>ボーナスを「得る」教員が担当した生徒の成績
- 対象者：イリノイ州の9つの公立学校の教員

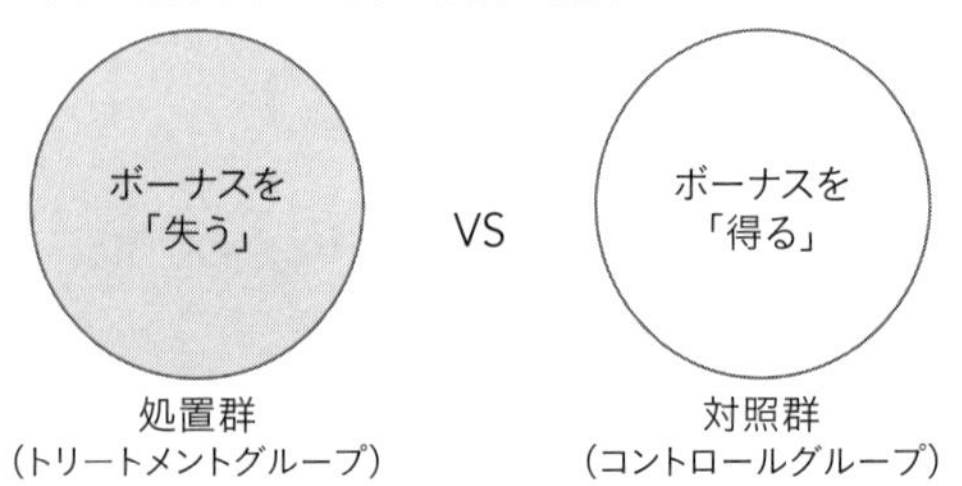

- 結果：
  ボーナスを「失う」教員が担当した生徒の成績>ボーナスを「得る」教員が担当した生徒の成績

出所：Fryer Jr, R. G., Levitt, S. D., List, J., & Sadoff, S. (2012). Enhancing the efficacy of teacher incentives through loss aversion: a field experiment (No. w18237). National Bureau of Economic Researchをもとに筆者作成。

この結果、成績が上昇したのは「ボーナスを失う」グループの教員に教わった子どもたちだったことが示されました（図37）。

この結果は、人間がいったん得たものを失うのは嫌だと思う気持ち[*]を逆に利用して、教員の質を高めることに成功したと考えられています。

いったん支払ったボーナスを後で返還してもらうようなことを実施するのは、あまり現実的とはいえないかもしれません。

しかし、通常の教員給与やボーナスの与え方を工夫することで、支出額を増やさなくても、教員の質を上げられる可能性があることがわかったという点で、重要な発見といえるのではないでしょうか。

＊人間が得たものを失うのは嫌だと思う気持ちのことを、経済学の用語で「損失回避」という。

教員研修に効果はあるのか

教員の質を高めるために、人的資本に投資する機会にはさまざまなものがあります。教員研修もそのひとつです。

「国際数学・理科教育動向調査」*（TIMSS）のデータによると、日本の小・中学校教員の50％程度が、1年の間に何らかの研修を受けており、その内容は教授法や指導法にかんするものから、評価、授業へのICT導入など多岐にわたります。こうした研修は、自治体の教育委員会の出先機関である教育研究所または教育センターが実施しているものが多くを占めています。

しかし、最近の研究に限ってみれば、**教員研修が教員の質に与える因果効果はないという結論が優勢です**(92)。

ミシガン大学のジェイコブ教授らは、もともと学力の低い地域で有名だった米国イリノイ州のシカゴで、1996年以降、標準テストの成績が悪い生徒が多い学校は「保護観察校」に指定されたという事実に着目しました[93]。この「保護観察校」では、子どもたちの学力向上を企図した教員研修を行うため、追加的な予算措置が取られたのです。

しかし、保護観察校に指定された学校はもともと生徒の成績が悪い学校なのですから、保護観察校とそうでない学校を単純に比較することはできません。そこで、ジェイコブ教授らは、保護観察校に指定される境界線付近の学校では、保護観察校に指定されるかどうかはほとんど偶然によって決まっていたと考えて、保護観察校にギリギリ指定された学校群(＝処置群)とギリギリ指定されなかった学校群(＝対照群)を比較したのです(この分析の詳細は、巻末の補論で説明しています)。

この結果、**教員研修は教員の質に影響しなかったという結論が導かれています**。これ以外に、フロリダ州の業務データをもとにした追跡調査を用いて、ウィスコンシン大学のハリス准教授らも、同様の結論に至っています[94]。

＊国際数学・理科教育動向調査とは、国際教育到達度評価学会が実施している小・中学生を対象とした国際比較調査のことを指し、一般に調査名の頭文字を取って「ＴＩＭＳＳ」と呼ばれる。

教員免許は「参入障壁」なのか

実は、「今、既に教壇に立っている教員の質を高めるために、どんな政策が有効か」という問いについて、教育経済学はまだ明確な答えを持ちません。しかし、それでも教員の質を上げる方法があります。もともとの能力が高い人を採用すればよいのです。

そもそも、教員の採用の仕組みはどのようになっているのでしょうか。

教員養成大学・学部を卒業したからといって、全員が教員を目指すわけでもありませんし、一般の大学に入学して教員を目指す人もいます*。また、景気が悪いときほど教員採用試験の受験者が増加し、教育学部以外の受験者も増加することも明らかになっています。つまり、教員になる人のすべてが最初から教員になることを目指していたわけではなく、就職するときの景気や、他の職業との比較などによって教員になるかどうかを決めているわけです。

これは、教員になることの魅力を高めれば、より優秀な人が教員を志望してくれる可能性があることを意味しています。

このような状況下で、なるべく能力の高い人に教員になってもらうにはどうしたらいいのでしょうか。経済学者に聞けば真っ先に提案されるであろうシンプルな方法は、**教員になるための参入障壁をなるべく低くする、つまり教員免許制度をなくしてしまう**ということです。

なぜなら、免許という参入障壁が、能力の高い人が教員になったり、あるいは他の職業で活躍してきた人が教員に転職したりするのを妨げている可能性があるからです。

「教員免許をなくしたりしたらかえって教員の質が下がってしまう。教員免許があるからこそ、質が保たれているのでは」と思われる方もいるかもしれません。

しかし、もし教員免許が「公教育を担う教員の資質の保持・向上」（文部科学省ウェブサイトより）のために存在しているというのであれば、「教員免許を持っていること」が

＊文部科学省の「平成26年度公立学校教員採用選考試験の実施状況」によると、教員養成大学・学部の出身者は28％弱にとどまっている。

教員の質の保持・向上に因果効果を持つことが示されなければなりません。この因果効果の有無を調べるためには、免許のある教員とない教員が混在している学校で調査を行う必要があります。

こうした文脈において注目を集めるのがティーチ・フォー・アメリカ（Teach For America＝TFA）という非営利団体の取り組みです。[95]ティーチ・フォー・アメリカは、米国内の一流大学の卒業生を、卒業後2年間、低学力に悩む公立学校に教員として派遣するプログラムを実施してきました。

経済学者がこのティーチ・フォー・アメリカに注目するのは、派遣する教員の多くが、教員免許を保有していない教員でありながら、公立学校で教員免許を持つ教員に混じって、教鞭をとっているという事実なのです。

これまでの研究によれば、ティーチ・フォー・アメリカの教員が教えた生徒は、教員免許を保有する教員らに教えられた生徒と比べて成績がよいか、成績には差がないということが明らかになっています。

たとえば、マセマティカ研究所のデッカー教授らが、全米の5都市で17校に在籍する

2000人の小学生を対象に、免許を保有する教員と保有しない教員をランダムに割り当て、教員免許が教員の質に与える影響を検証しました。この結果、免許を持たないティーチ・フォー・アメリカの教員に教わった子どもは、免許を保有する教員に教わった子どもと比較して、算数の点数が高く、国語では差がなかったことがわかりました[96]。

この後に行われた数々の研究では、州によって異なる結果が導き出されているものの、**経済学者の間では教員免許の有無による教員の質の差はかなり小さいというのがコンセンサスとなっています。**

なかでも、ハーバード大学のケイン教授らの研究は、示唆に富んでいます[97]。ケイン教授は、「教員免許を持っているかどうかが子どもの学力に与える影響は非常に小さいのにもかかわらず、教員免許を持っている教員同士の質の差はかなり大きい」ことを指摘しています。

具体的にいえば、免許を取得している教員同士の差は、免許を取得している教員とティーチ・フォー・アメリカの教員の差の10倍にも達していたのです(204ページ図38)。

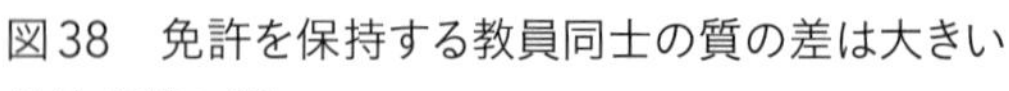
図38　免許を保持する教員同士の質の差は大きい

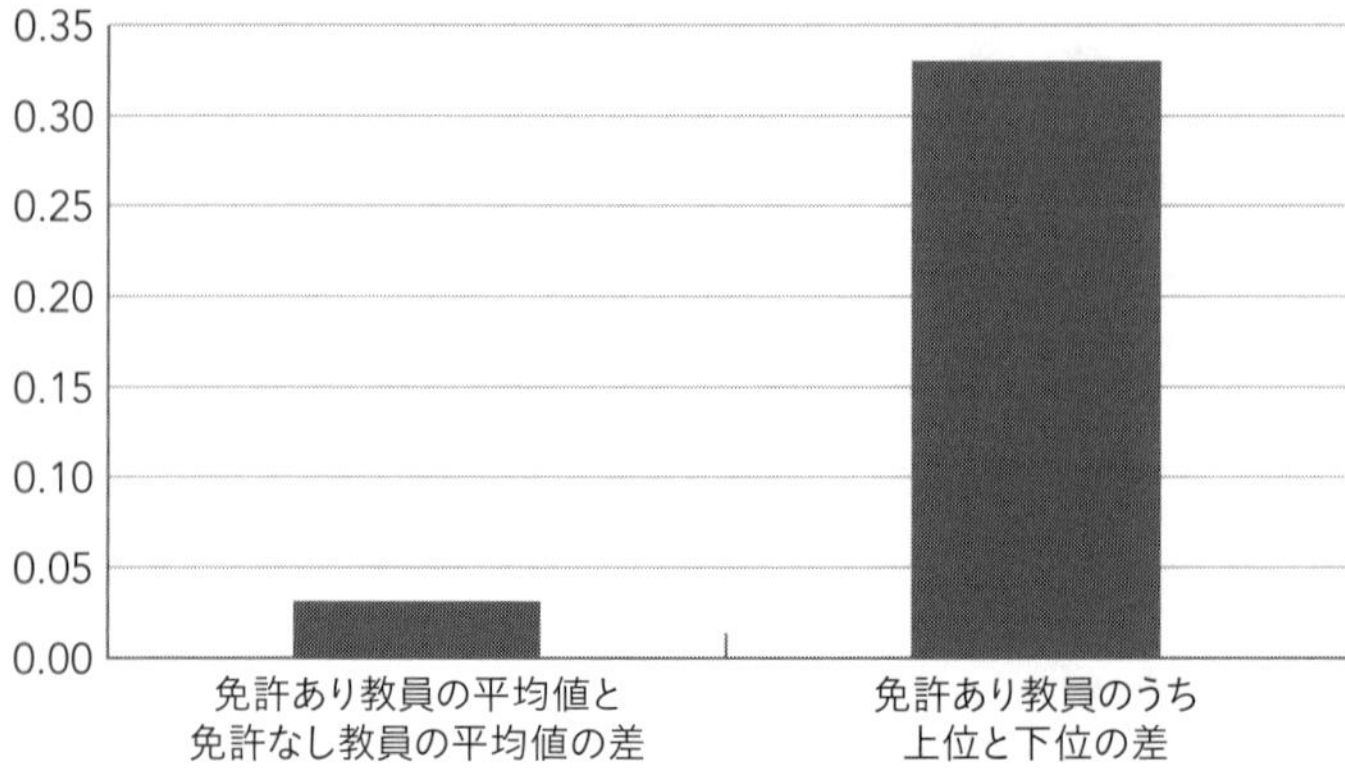

注：「免許あり教員のうち上位と下位の差」は、付加価値でみたときの上位25％と下位25％の差を意味している。

出所：Kane, T. J., Rockoff, J. E., & Staiger, D. O. (2008). What does certification tell us about teacher effectiveness? Evidence from New York City. *Economics of Education Review*, 27(6), 615-631.

教員免許の存在は教員の質を担保しているわけではない

つまり、**教員免許は必ずしも教員の質を担保できているわけではありません。**

実際、教員になるための技能や知識は、必ずしも教員養成大学やそれに準ずる大学の教職課程の中でしか身につけられないものではないはずです。

学習塾や予備校の先生になるのに教員免許は必要ではありませんが、優れた方は数多くおられます。また、海外にはそもそも教員免許そのものが存在していない国や地域も多くあります。「教員になるためには教員免許が必要だ」という前提は、私たちが思っているほどに当たり前ではないのです。

これまでの海外における研究蓄積をみる限り、「給与を上げる」「研修を受けさせる」「免許制度を撤廃する」という3つの選択肢の中では、教員免許制度を変更し、能力の高い人が教員になることの参入障壁を低くすることが有力な政策オプションなのではないかと、私は思っています。

なぜ日本で研究が進まないのか

私がこれまでご紹介した研究のほとんどは、米国の事例です。読者の中には、日本のデータを使って教員の質を分析した研究はないのかと、残念に思われている方もいらっしゃるかもしれません。

もちろん、日本の政策について議論するのであれば、日本のデータに基づいたエビデンスが必要です。誰よりも強く、私自身がそう思っています。

しかし、残念ながら、日本において教員の質、給与、研修、免許が子どもの意欲や学力に与える因果効果について分析した研究は、あまり多くありません。

私は日本の教育において、もっともエビデンスが必要とされているのは、教員の「質」にかんするものだと思っています。しかしここでも、データの不足、アクセスの難しさが問題になります。

文部科学省が3年に一度収集している「学校教員統計調査」という統計は、統計の対象となっている教員が、どの子どもを教えたかという情報と接続することができないので、学力調査のデータとリンクさせて、付加価値に変換することができません（そもそも学力調査のデータは研究者にはアクセスできないのですが）。このため、せっかく統計を取っているのに、教員の育成や人材配置にかんする研究や議論をすることができないのです。

今のところ、政府はデータの公開にはまだまだ消極的ですが、民間はそうではありません。教育にデータが活用されれば事業改善や、ビジネスチャンスにつながるという明確な動機があるからです。私は今、ティーチ・フォー・アメリカの日本版であるティーチ・フォー・ジャパン（代表理事：松田悠介）や民間の学習塾とも協力して、「いい先生とはどんな先生か」を明らかにするための研究を実施しています。このように、民間事業者と協働して得たデータを分析し、社会に有用な知見を還元していくことができれば、データの公開に消極的な政府にプレッシャーをかけることにもつながるはずです。

少なくとも、私は、そう期待しています。

教員の質を高めることが重要だということは、論を待ちません。しかし、その方法をめぐっては、現在もさまざまな議論が行われています。まだ具体案は多くない状況ではありますが、教員の質の指標化、教員採用試験の共通化、教員免許の国家資格化、教員研修のさらなる充実などが提案されています。

しかし、私がいくら調べてみても、これらの政策の効果を、本書で説明したような科学的な手法を用いて検証した例はほとんどありません。

これまで、教員の質にかぎらず、日本の重要な教育政策課題について、教育経済学の知見が活かされることは多くありませんでした。一方、米国ではその知見は政策決定に活かされ、現実の教育をよくすることに大きく貢献しています。その貢献が教育経済学へのさらなる期待やニーズを生み、さらに教育経済学が発展する、という正の循環が生じているのです。この循環を日本でもつくり出していくことができないだろうか。これが、私の問題意識です。

教育にエビデンスを。

私が本書を通じて一貫して伝えたかったことを、みなさんにご理解いただけたならば、これに勝る喜びはありません。

補論：なぜ、教育に実験が必要なのか

ここでは、本文で十分に説明してこなかった「実験」という手法について、詳しく述べていきましょう。

既に述べたように、経済学者は、教育の**因果効果**を明らかにするために、実験を行います。この実験の正式名称は、「ランダム化比較試験」（図39）といいます。そして、このランダム化比較試験は「政策評価のゴールドスタンダード」と呼ばれ、海外では政策評価のメインストリームとしてその確固たる地位を確立してきました。

最近では「エビデンス」という言葉が一般的に用いられるようになってきましたが、ひとくちにエビデンスといってもその信頼性はさまざまです。明確な根拠がないのにもかかわらず、あたかもエビデンスがあるかのような語り口の記事や報道をあちこちで見

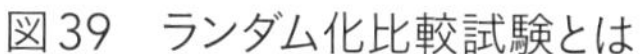
図39　ランダム化比較試験とは

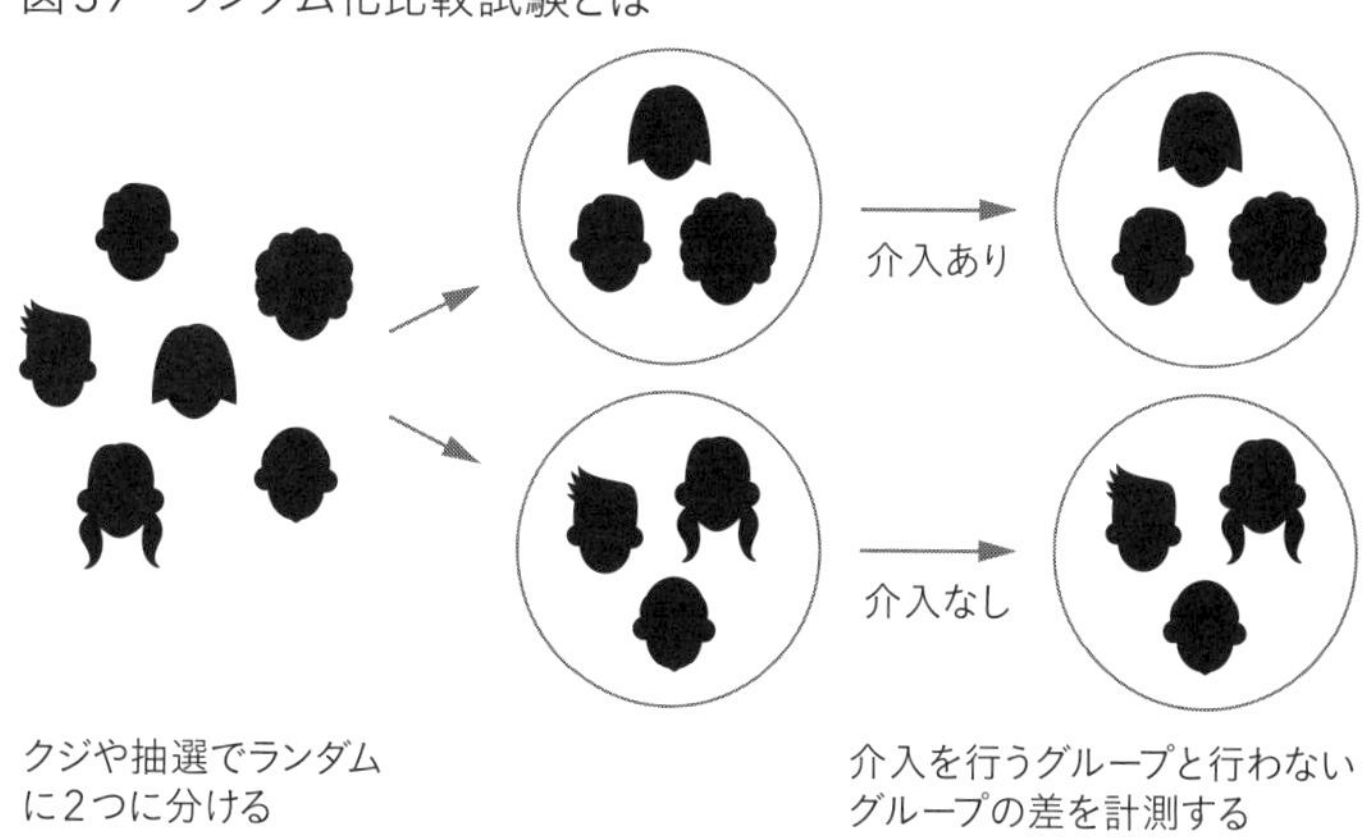
介入あり
介入なし
クジや抽選でランダムに2つに分ける
介入を行うグループと行わないグループの差を計測する

かけますが、これらにだまされないためにも、**「そのエビデンスが信頼に足るものか」について、自分自身の目で見極められるようになることが重要です。**

実は、エビデンスにはその信頼度を判断する基準として「階層」というものが存在しています。そして、1998年にオックスフォード大学の研究者らを中心に「階層」が提唱されて以降、**もっとも階層の高い、信頼に足るエビデンスと定義されているのがランダム化比較試験です。**

それ以外の方法はランダム化比較試験よりも下位に位置づけられており、中でも専門家や研究者の「意見」や「考え」はもっとも階層の低いエビデンスとして扱われています（図40）。テレビなどで教育評論家や子育て専門家が「私はこう思う」と発言しているのは、エビデンスとしては、もっとも階層が低いのです。ましてや、誰がいつ、どのようにデータを収集・分析したのかについての記載や説明がないのに、あたかも根拠があるかのように書かれているような記事や報道は、とても信頼に足るエビデンスとはいえません。

図40　エビデンスには「階層」がある

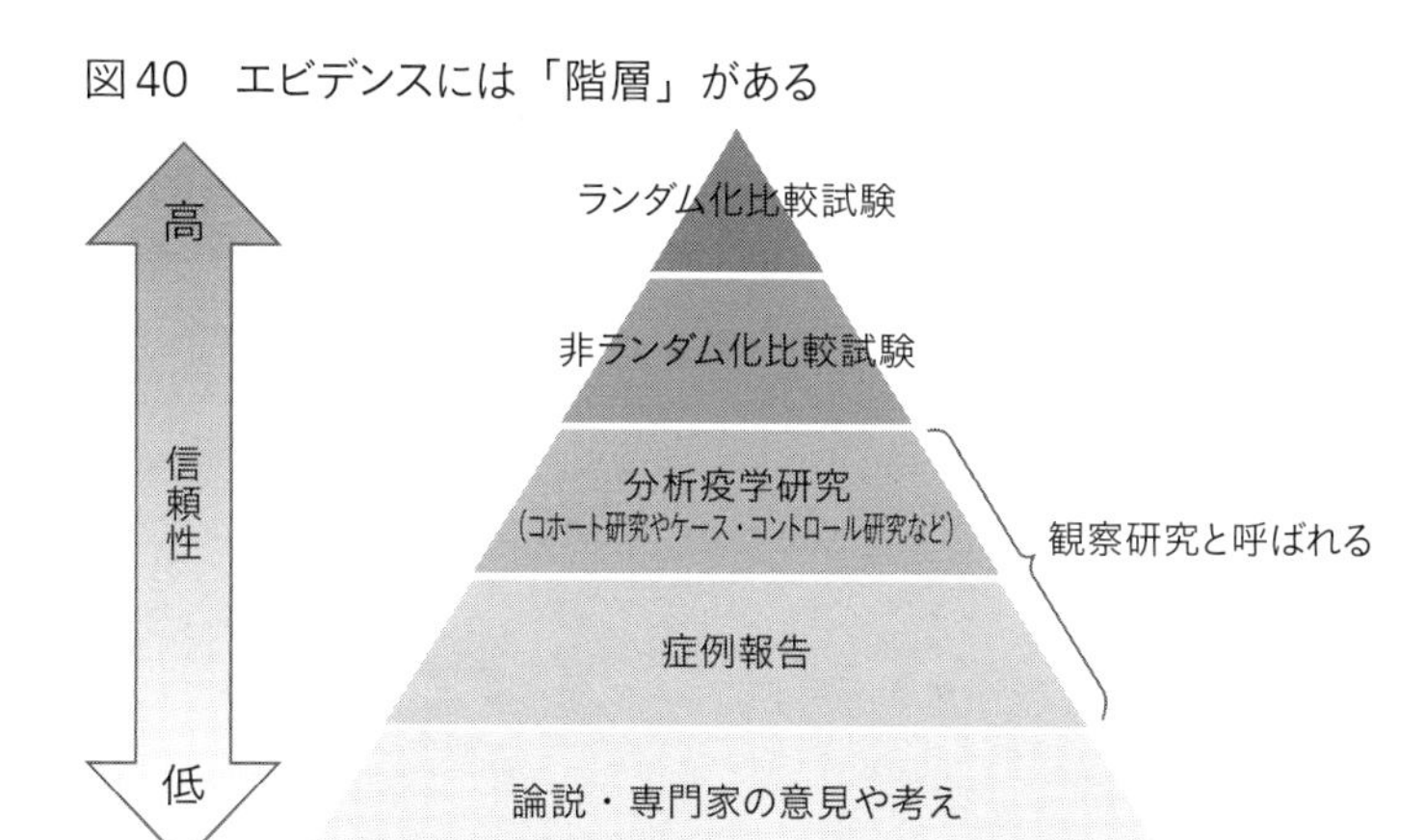

出所：Center for Evidence-Based Medicine, University of Oxford

こうした考え方はもともと医療分野で発達したのですが、教育でもその流れを汲んで、もっとも階層の高いエビデンスは、ランダム化比較試験によるものと考えられています。この流れを受けて**米国の教育省は、「落ちこぼれ防止法」の中で「エビデンスとはランダム化比較試験に基づくもの」であると明言しています。**[*]

「ランダム化比較試験」なるものが、いかに重要なアイデアかをご理解いただけたでしょうか。ここからは、そもそもなぜランダム化比較試験をする必要があるのかをご説明します。

リンゴとオレンジ：比較できない2つのもの

第4章ではテネシー州のスタープロジェクトをご紹介しました。少人数学級の因果効果を明らかにするために実施された大規模なランダム化比較試験であるスタープロジェクトでは、79の公立幼稚園・小学校に在籍する約6500人の生徒を、1学級あたりの生徒数が13～17人の少人数学級となる学校群（＝処置群）と、1学級あたりの生徒数が22～25人となる学校群（＝対照群）にランダムに振り分け、比較しています。

ところが、テネシー州では、スタープロジェクトが始まる前から、既に少人数学級を導入している学校も少なくありませんでした。比較的財源に余裕がある裕福な学区では、既に少人数学級が導入されていたのです。

「それならば、ランダム化比較試験なんてややこしいことをしなくても、既に少人数学級を導入している学校と、導入していない学校に通っている生徒の学力を比較すればいいじゃないか」という声も聞こえてきそうです。

しかし、残念ながら、それでは不十分だといわざるを得ません。なぜなら、**既に少人数学級を導入している学校に通っている子どもたちは、まだ少人数学級が導入されていない学校の子どもたちと、「根本的に違っている」可能性があるからです。**

＊もともと、エビデンスベーストという考え方は、１９９０年代初めに「科学的根拠に基づく医療」（Evidence-Based Medicine）という考え方が広く支持されるようになったことに端を発しており、オックスフォード大学の研究者チームも医療分野の研究者を中心に構成されていた。

「少人数学級を導入している学校をわざわざ選んで子どもを通わせている親」と聞いて、みなさんはどんなイメージを持つでしょうか。

おそらく、教育熱心な親であろうことは想像に難くありません。子どもが小学校に入学する年に、少しでも評判のよい小学校に通わせるため、引っ越しを検討したというご家庭はめずらしくないはずです。実際、不動産のチラシなどをみると、「○○小学校区」などと記載しているものもありますから、「きめ細やかな指導が受けられそうだな」と考えて、わざわざ少人数学級を実施している学校のある学区に引っ越しをするという親もいるということでしょう。

このように、子どもの親は、少人数学級を導入している学校にわざわざ行かせるかどうか、そのために引っ越しまでするかどうかを自ら「選択」(=セレクション)します。この結果、少人数学級を導入している学校に通う子どもたちの中には、わざわざ少人数学級を実施している学校に通わせるような、教育熱心な親の子どもが多く含まれる可能性があります。そのため、少人数学級を導入していない学校に通う子どもたちとは、単純に比較できないのです。

このように実験の対象となる人々が「選択」することによって生じる属性の偏りを、社会科学では「**セレクション・バイアス**」と呼びます。

セレクション・バイアスがあると、「少人数学級を導入している学校に通っている子ども」と、「まだ少人数学級が導入されていない学校に通っている子ども」はいろいろな点において違っています。前者のほうが、親が教育熱心な人の割合が高いでしょうし、子どものために引っ越しすることができるわけですから、年収も高いかもしれません。また、そういう親に育てられてきたので、子ども自身の学力も高いかもしれません。

「それはリンゴとオレンジだ」

英語では、比較できない2つの事柄を無理やり比較しても意味がないというときに、こんな表現を使うことがあります。**少人数学級を導入している学校に通う子どもたちと、導入していない学校に通う子どもたちは、まさにリンゴとオレンジ、比較不可能なものなのです。**

「反実仮想」を再現する

ここでは、より理解しやすいよう、ご存じドラえもんの設定を借りて説明してみましょう。出木杉君という秀才の小学生と、のび太君というどうもあまり勉強が得意でない小学生が登場するのは、みなさんもご承知のとおりです。

今、仮に出木杉君が、小学校入学時に少人数学級の学校を選択し、のび太君は少人数学級ではない学校を選択したとします。さて、数年後、この2人の学力を調べてみたところ、出木杉君はすごくテストの点数がよかったけれども、のび太君は悪かったとします。

この2人のテストの点数の差を根拠に「少人数学級に効果があった」といってよいのでしょうか。

ここで出木杉君とのび太君を比較することこそ、まさにリンゴとオレンジの比較に他なりません。

別に少人数学級でなくても、出木杉君はたぶん成績はよかったでしょう。一方、のび太君は（ドラえもんが四次元ポケットから「あたまがよくなるドリンク」などの画期的な道具を出してくれない限り）成績が悪かっただろうと想像できます。

では、いったいどうすれば、リンゴ同士の比較になり、オレンジ同士の比較になるのでしょう。ドラえもんには四次元ポケットから出してくれる「コピーロボット」という道具があります。ロボットの鼻についている赤いスイッチを押すと、見た目も頭のよさも何もかも、スイッチを押したその人と同じに変貌します。このコピーロボットを使えば、リンゴ同士の比較、またはオレンジ同士の比較が可能です。

つまり、出木杉君が少人数学級の学校を選択し、同時に出木杉君のコピーロボットが少人数学級ではない学校を選択したときにどのような差が生じるかを比較すればよいのです。

数年後に生じた、出木杉君の成績と出木杉君のコピーロボットの成績の差は、純粋な少人数学級の因果効果です。

このように「もし、少人数学級を選択した出木杉君が、少人数学級を選択しなかったとしたらどうなっていただろう」などと、現実とは逆のことを思い浮かべることを統計学では「反実仮想アプローチ」と呼びます。たとえば、「本能寺で織田信長が殺されなかったら、日本の歴史は変わっていただろう」などというのは、まさに反実仮想の考え方です。

残念なことに、21世紀となった今もコピーロボットは開発されていません。しかし、コピーロボットを使わずに反実仮想を再現する方法は存在します。

それが、ランダム化比較試験です。少人数学級の対象となる子どもたち（=処置群）とならない子どもたち（=対照群）を抽選などでランダムに分ければ、親は子どもを少人数学級の導入されている学校へ通わせるかどうかという「選択」ができなくなります。そうすると、少人数学級の対象となる子どもたちと、ならない子どもたちは、（その数が十分に多ければ）平均的には似通った集団になると予想されます。唯一、少人数学級に割り当てられたかどうかを除いては。

もちろん、抽選で分けられた少人数学級の対象となる子どもたちと、ならない子どもたちが平均的には似通った集団になっているかどうかということは、事前にチェックする必要があります。

もともとの学力、塾や習い事の有無、親の所得や学歴、同居している祖父母の有無などについて、2つのグループの平均値を比較し、もしこの平均値に統計的に有意な差が生じていなければ、2つのグループは「比較可能」、つまりリンゴとリンゴの比較になっているといえるのです。

2つのグループが比較可能だと判断されたなら、セレクション・バイアスは取り除かれたといえます。数年が経過した後、この2つのグループの間に生じる学力の差は、少人数学級か否かによるものであり、これこそが少人数学級がもたらす「因果効果」であると解釈できるのです（222ページ図41）。

図41　実験の概念図

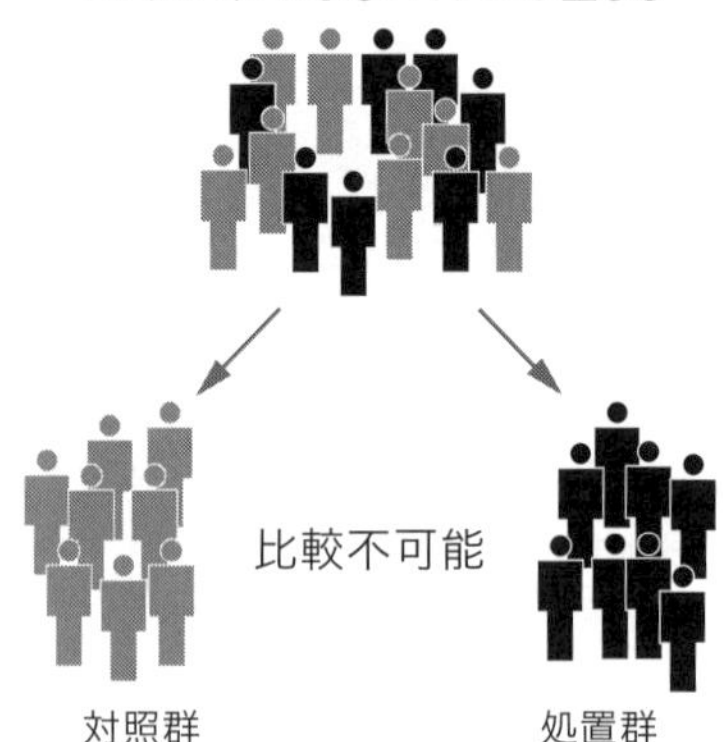

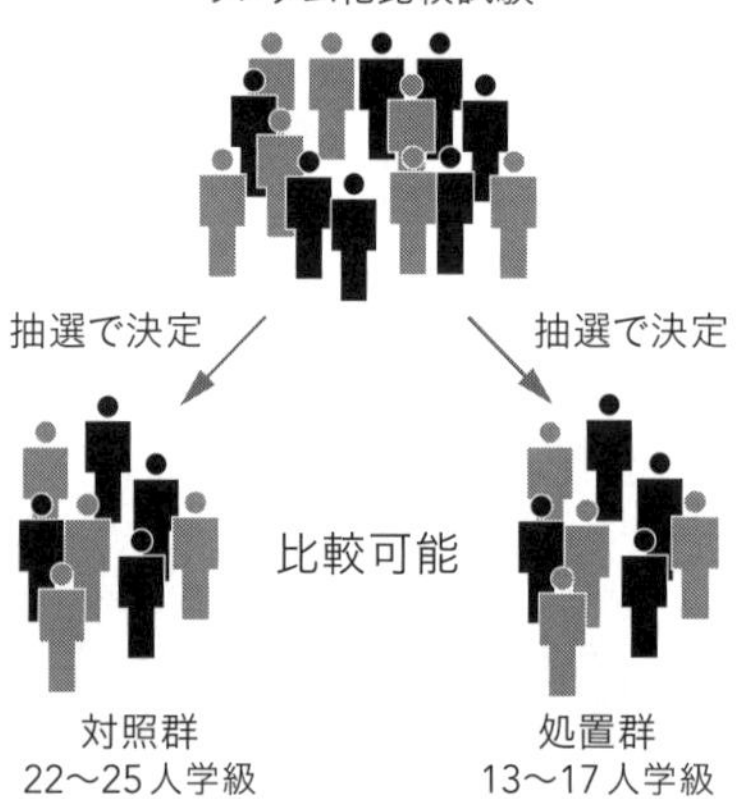

■ もともと学習意欲が低い　■ もともと学習意欲が高い

ランダム化比較試験以外の「実験」

本書の中では、ほとんどすべての章で、ランダム化比較試験による効果検証を紹介しています。これ以外にも、「実験」に分類されるものとして、第2章でご紹介したホックスビィ教授や、ダンカン教授らの研究で用いられた「自然実験」があります。人為的な実験として設計された研究ではなくとも、制度変更や自然現象などが発生したことによって、偶然、ランダム化比較試験を行ったかのような状況が生じたことを利用したものです。人為的に実験を行ったのとよく似た状況が、たまたま（自然に）発生していることからこのように呼ばれます。

第4章でご紹介した赤林教授らの研究や、第5章の198ページのジェイコブ教授らの研究も、一種の自然実験ですが、こちらは「回帰不連続デザイン」とも呼ばれる手法です。

ジェイコブ教授らの研究手法をわかりやすく表記したのが224ページの図42です。

図42　教員研修に効果はあったのか（ジェイコブ教授らの研究デザイン）

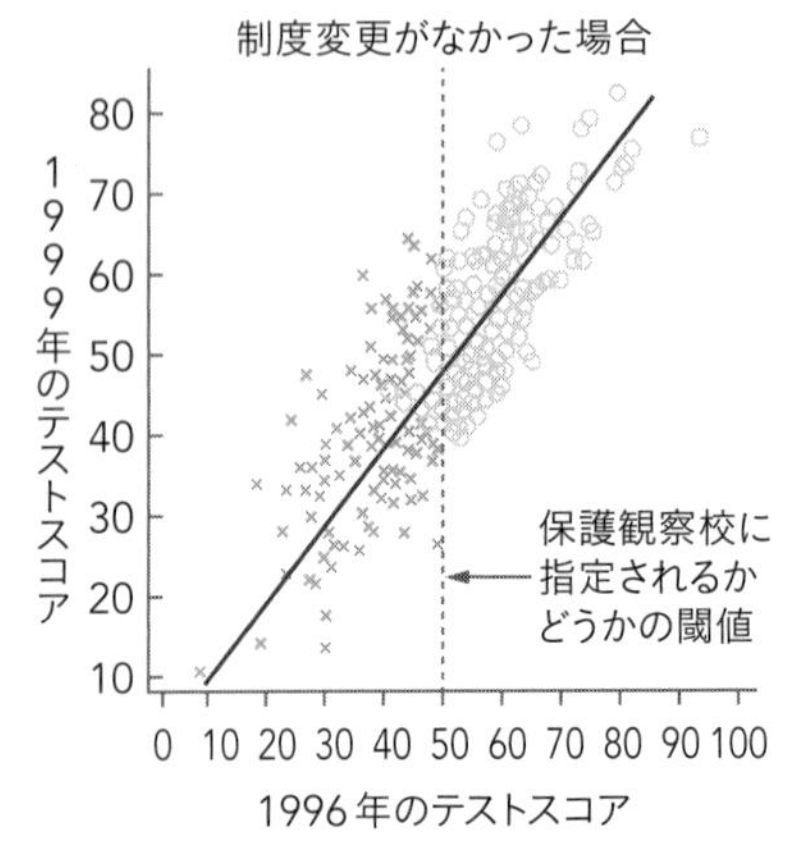

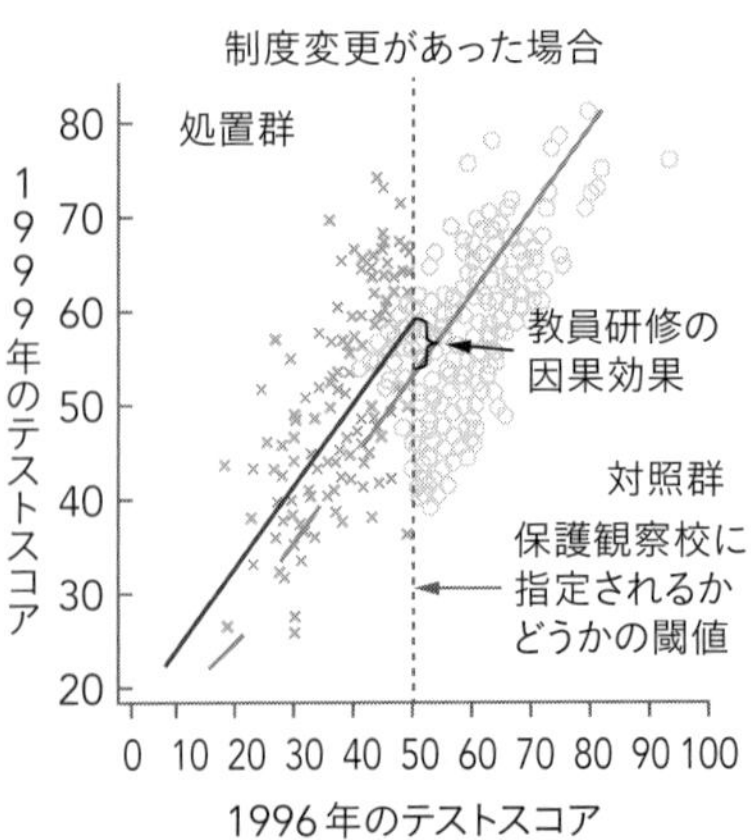

出所：Jacob, B. A., & Lefgren, L.(2004). The impact of teacher training on student achievement quasi-experimental evidence from school reform efforts in Chicago. *Journal of Human Resources*, 39(1), 50-79をもとに筆者作成

横軸は、保護観察校が設定される制度変更前（＝1996年）の、縦軸は制度変更後（＝1999年）の各学校のテストスコアを表しています。もし保護観察校と教員研修にかんする制度変更がなかったならば、成績のよかった学校は1999年にも成績がよい」という正の相関があると予想されますので、「1996年と1999年の成績の関係は図42の上の図のように直線で表すことができるはずです。しかし、1996年の制度変更で、保護観察校が行った教員研修が生徒の成績を上げることに成功していたのなら、保護観察校に指定されるかどうかの境界線周辺の学校群で図42の下の図のような「ジャンプ」が生じるはずです。

この境界線における処置群と対照群の差（ジャンプ）が、教員研修の因果効果となります。

研究の結果は上の図のように、ジャンプのないものでした。教員研修は教員の質を上げる因果効果を持たなかったのです。

このように、「実験」は必ずしもランダム化比較試験だけを指すわけではありません。[98]

求められる教育政策のグランドデザイン

ランダム化比較試験（あるいはそれに準じる実験）が、米国の教育政策の決定プロセスでどのように用いられているのか、ここであらためてご紹介しましょう。

まず、政策の「目標」が定められます。たとえば、「学力の向上」などは代表的なものです。次にそれを達成するための手段としての政策にどの程度の因果効果があるのかを、ランダム化比較試験によって確認します。

しかし、学力の向上を達成するための政策はひとつではありません。ここでは、これまでみてきた少人数学級に加え、習熟度別学級や放課後学習も有力な政策手段であると考え、仮にこの3つの政策の因果効果を推計したとしましょう。

既に述べたように、政策の因果効果は、ランダム化比較試験における処置群と対照群の学力の差で表されます。この情報と政策にかかった費用から、政策のコストパフォーマンスを算出します。

政策のコストパフォーマンスという考え方は非常に大切です。たとえば少人数学級は、その実施にあたってかなりの費用がかかることが予想されます。教員を追加的に雇用しなければならなくなるし、教室などの施設も拡充する必要があるでしょう。仮に少人数学級政策に効果があって、どんなにいい政策だったとしても、お金がかかりすぎたら実現できません。なるべく安く、しかも学力を大きく上昇させられるような政策のほうがよいに決まっています。政策のコストパフォーマンスがよい――これを「**政策の費用対効果が高い**」といいます。そして、3つの政策の費用対効果を比較すれば、**もっとも安上がりに効果をあげられる政策が何かということがわかります。**

これさえわかれば、後は、費用対効果の高い政策に集中的に資源を投下すればよいわけです。データに基づくエビデンスによって、今後、自治体や教育委員会が「何をするべきか」という道筋がはっきりと示されますし、学校や保護者、納税者への説明責任も果たすことができます。これは、自治体や教育委員会などの政策担当者にとってみれば、大きなメリットだと言えるでしょう。

世界的にみると、テネシー州のスタープロジェクトのような大規模なランダム化比較試験はまれで、もっと小規模なランダム化比較試験もたくさん行われています。むしろ「小さく始めて大きく育てる」というのは米国流の政策決定の妙手のようで、まず小規模なランダム化比較試験を行い、効果が確認されたら、州へ、次は国全体へと広げていきます。もし小規模なランダム化比較試験の段階で、費用対効果が低くてコストパフォーマンスが悪いということが明らかになれば、あっさり中止します。こうすれば、税金の無駄遣いを抑制しつつ、効果的な政策にお金を回していくことができるのです。

米国の政策決定プロセスに、ランダム化比較試験が頻繁に登場するようになったのは、エビデンスとしての階層が高いからだけではありません。評価の解釈や説明が容易であることもその理由のひとつです。教育政策の効果について説明する際、複雑な手法を用いた評価を行っても、十分に理解できる人は多くありません。政策を決める国会議員や官僚といえども、複雑な計量経済学的手法を理解している人は極めて少数でしょう。政策評価の手法が複雑でわかりにくいことは、これまで教育経済学の研究を政策に活かすうえでのハードルとなってきました。

しかし、ランダム化比較試験はそのようなわかりにくさとは無縁です。ランダム化比較試験の結果を解釈するためには、「(ランダムに分けた) 2つのグループの平均の差」というごく単純なことが理解できていれば十分なのです（230ページ図43)。

ランダム化比較試験の問題点

しかし、ランダム化比較試験が完全無欠の政策評価かといえば、残念ながら必ずしもそうとはいえません。ランダム化比較試験が抱える技術的な問題については、開発経済学の専門家である東京大学の澤田教授が日本経済新聞の「経済教室」(2011年12月5日)で非常によくまとまった記事を書かれていますので、それを参考にあらためて論点を整理したいと思います。

第一の問題は、ランダム化比較試験対象となっている生徒や学校が、政策介入に反応して行動してしまう可能性があることです。ケニアで実施されたランダム化比較試験で

図43　ランダム化比較試験の結果（例）

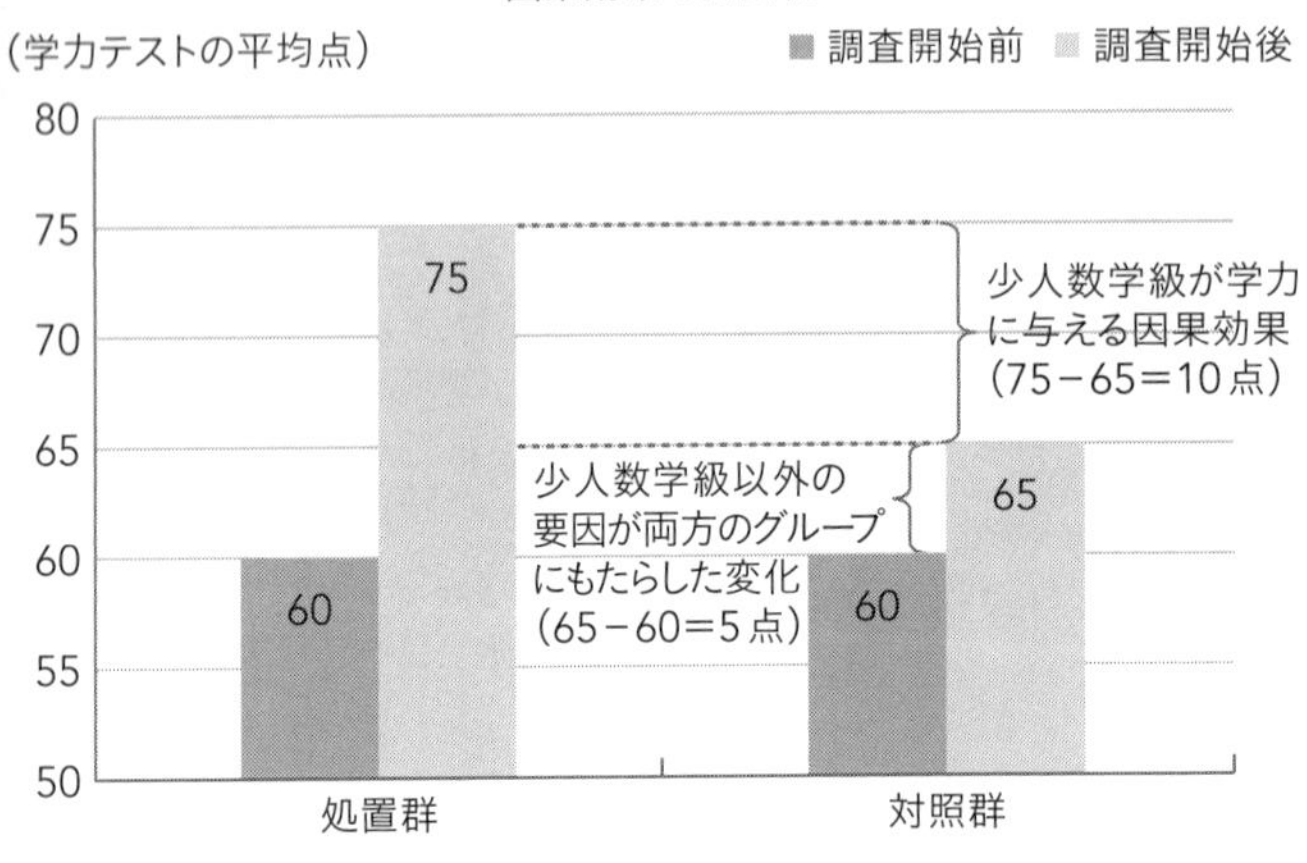

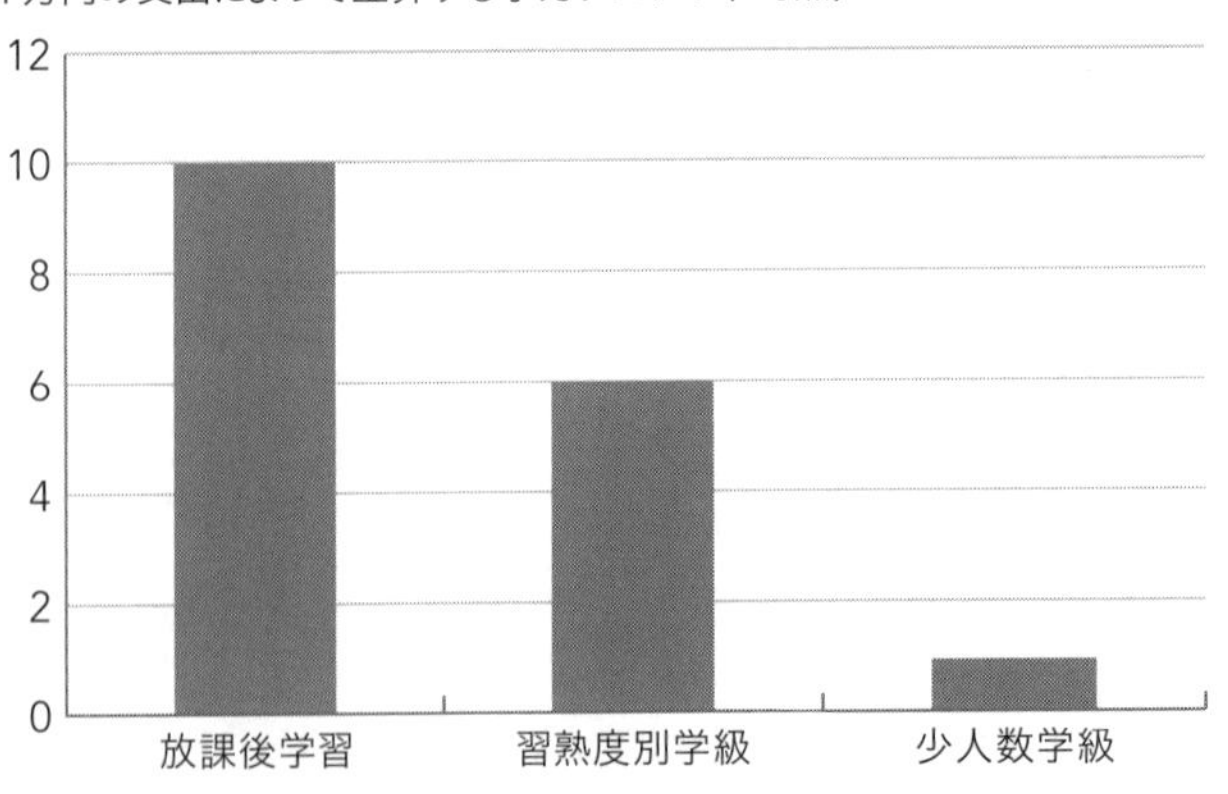

注：すべて仮想の値による

は、学校給食の提供が子どもの出席や学力に与える因果効果を明らかにするため、処置群では給食が無償になりますが、対照群ではならないという状況になりました。その結果、給食を目当てに、子どもを処置グループに属する学校に転入させようとする親が出てきたのです。これでは、セレクション・バイアスがない状態を保つことができません。

他にも、ある国におけるランダム化比較試験の結果が、他の国で当てはまるかどうかわからないという「外部妥当性の問題」が存在します。さらに、小規模のランダム化比較試験で効果が確認された政策介入を、もっと多くの人々に拡張したら、効果が薄れてしまうという「一般均衡効果」が生じる可能性があることも記事中では指摘されています。たとえば、ある地域で行われたランダム化比較試験によって、大学教育の収益率が高い、ということがわかったとしましょう。この結果を受けて、政府は当然、大学教育を受ける人を増やそうとするでしょう。しかし、これまでは大卒者が少なかったから希少性があったのに、労働市場において大卒者の供給が増加してしまうと、その希少性は下がり、大卒者の賃金は低下し、当初想定していた収益率を下回ることが予想されます。

また、ランダム化比較試験の持つもうひとつの問題に、ある政策介入のもたらす因果効果がわかったとしても、「なぜそうなったのか」というメカニズムがよくわからないことが挙げられます。このメカニズムのことを経済学の用語で「内部構造」といいます。内部構造が不明であるからこそ、外部妥当性の問題や一般均衡の問題が起こると考えられるのです。その内部構造を明らかにするために、経済学者は新しい道を切り開こうとしています。

ペンシルバニア大学のトッド教授らの研究を嚆矢として、(99) 内部構造を解明するために、経済モデルに基づいた構造推定という方法を使って予測を行うことができるようになってきました。おそらく内部構造が不明であるというランダム化比較試験が抱える問題は、経済学の進歩により、時間とともに解決されていくと私はみています。

過去、さまざまな国で行われてきた教育実験について取材をしていたフィナンシャル・タイムズ紙のハーフォード記者は、ランダム化比較試験の持つ倫理的な問題について丁寧に考察した後、こう述べています。「世界には、専門家ですらも驚愕するようなことがしばしば起こりうる。ある政策介入が、人々の生活に大きな影響を及ぼすと考えられるときに、ランダム化比較試験を行うよりも非倫理的な行動があるとすれば、それはランダム化比較試験を行わないという選択をするということなのではないか」（フィナンシャル・タイムズ、２０１４年4月25日）。

ランダム化比較試験は、教育政策の因果効果を定量的に明らかにするために、経済学者が駆使しうる最大の武器なのです。そしてそこから得られた知見が、現実の教育政策に活かされれば、誰よりも教育を受ける子どもたち、ご両親、そして納税者である国民にこそもっとも大きな恩恵があるに違いありません。

あとがき

数年前、講演会に来てくださった小さなお子さん連れのお母さんから、こんなふうに声をかけられました。

「子どもが小さいうちにお話を聞けて本当によかった。知らなかったらヤバかったわ」

本書の冒頭でも申し上げたように、私は自分自身に子どもがいないので、教育経済学の知見が、子育て中のご両親にとって役に立つものなのだということを、実はそのときまでまったく想像できていませんでした。

それどころか、当時の私は、研究者として、完全に道に迷ってしまっていました。本書を最後までお読みくださったみなさんには想像に難くないと思いますが、教育経済学の研究にもっとも必要とされるものは「データ」です。だから自治体や教育委員会、学校などに呼びかけて、共同研究を行い、データを収集することが必要でした。しかし、共同研究を持ちかけても、たいていの場合、冷たく追い払われました。それどころか、ときには、辛辣な批判を浴びることすらありました。

「あなたの研究は、子どもはカネやモノで釣れるということを示すためのものなのか」「教育は数字では測れない。教育を知らない経済学者の傲慢な考えだ」

海外のデータを用いた論文を見るたびにため息が出ました。日本に比べるとかなり充実している海外の教育データは、教育分野での実験に対して社会的な理解と寛容さがあることを感じさせます。その寛容さが結果として、海外の研究を質の高いものにし、政策への貢献を可能にしているのです。

思いがけず子育て中のお母さんの言葉に勇気づけられた私は、今、自分がすべきことは、「データを用いて教育を科学的に分析することが、どれほど世の中の役に立つことなのか」を広く訴え、教育経済学研究の支持者を増やしていくことなのではないか、と感じました。

それから、さまざまなメディアを通じて、一般向けに教育経済学の研究を紹介したところ、私自身も予想していなかったような多くの反響を得ることができました。そして、それらを目にとめてくれた多くの自治体や教育委員会、学校、学習塾、教育関係の非営利法人などから「一緒に共同研究をやっていきましょう」と声をかけてもらうに至り、研究の幅が一気に広がりはじめたのです。それまでひたすら批判に耐えるばかりであった私にとって、これらがどれほど心躍る出来事だったかは言うに及びません。

それからというもの、研究を進めつつ、自分や同僚の研究の情報発信にもよりいっそう力を注ごうと決めました。凡庸な研究者である私には、経済学会のスーパースターたちのような革新的な研究をすることは容易ではありませんから、せめて、教育データの収集の必要性を訴え、研究の機会が広がるような素地をつくることでもって経済学に貢献したいと思ったのです。

教育経済学の研究成果が、家庭、学校、社会における子育てや教育で活かされれば、調査対象者となってくださった生徒や教員のみなさんにこそ、もっとも大きな恩恵があるに違いありません。教育に使うお金を絞るのではなく、知恵を絞って、教育に用いることのできる限られた資源を活きたものにしたい——教育経済学の研究者として、私はそう願ってやみません。

執筆の機会をくださったディスカヴァー・トゥエンティワン（当時）の井上愼平さんには心から感謝申し上げたいと思います。彼が担当編集者でなければ、本書は間違いなく日の目を見ることはありませんでした。

そして、この場を借りて、師である竹中平蔵慶應義塾大学教授に心からお礼を申し上げます。慶應義塾大学でまだ（当時40代前半であった）若かりし竹中先生と出会い、経済学が社会を分析する「科学」なのだということを知るようになりました。経済学の研究から得られた知見で政策に貢献したいという考えは、紛れもなく竹中先生から受け継いだものです。竹中先生がおられなかったら、今日の私はありません。

そして、研究者に転身して以降、赤林英夫慶應義塾大学教授、乾友彦学習院大学教授、佐藤嘉倫東北大学教授、澤田康幸東京大学教授には、さまざまなご指導をいただきました。先生方の研究者としての姿勢を身近に垣間みる機会があったことは、この上なく幸運なことでした。

本書の中で引用された共著論文を紹介することを許可してくださった共著者の先生方にも心からお礼申し上げます。また、本書で引用した私自身の研究の多くは、経済産業研究所における研究プロジェクトからご支援をいただいたものです。藤田昌久経済産業研究所所長、森川正之経済産業研究所副所長の日ごろからのご指導にも厚くお礼申し上げます。これ以外にも、科学研究費補助金基盤研究S「社会的障害の経済理論・実証研究」（代表者：松井彰彦東京大学教授）、基盤研究B「幼少期における社会・生活環境、学習方法が人的資本の蓄積に与える影響の分析」（代表者：廣松毅情報セキュリティ大学院大学教授）、基盤研究C「日本在住の外国人の『コンタクトゾーン』の分析」（代表者：中室牧子）によるご支援をいただきましたことも申し添えます。多くの方からのご支援をいただいて完成した本書ですが、いうまでもなく本書にありうべき誤りのすべては、筆者の責に帰するものです。

慶應義塾大学総合政策学部の中室研究室のメンバーにも感謝します。ときに私をはるかにしのぐ情熱で研究に打ち込む彼らの姿には、刺激を受けずにはいられませんでした。慶應義塾の精神である半学半教の言葉どおり、彼らから教えられたことのなんと多かったことか。とくに本書を通読し、適切なコメントをくださった中川舞音さん、中田知宏さん、目黒潤一さん、山口勇太さん、本当にありがとう。

そして、互いに大学生だったときに出会ってから今日に至るまで、ずっと私の尊敬の対象であり続けてくれる夫に感謝の意を示して、結びの言葉とすることをお許しいただきたいと思います。

2015年6月

中室牧子

参考文献

はじめに

1 日本の教育経済学の展望をまとめた論文としては、Oshio, T. & Senoh, W. (2007). The economics of education in Japan: A survey of empirical studies and unresolved issues, *Japanese Economy*, 34(1), 46-81、または渡邊智美「日本の教育経済学の潮流」(2013)『横浜国際社会科学研究』第18巻第1・2号などが参考になる。

2 ダン・アリエリー『ずる:嘘とごまかしの行動経済学』(早川書房)

3 祖母の死と試験についての因果関係を示した論文は、Adams, M. (1999). The Dead Grandmother/Exam Syndrome and the Potential Downfall of American Society. *Annals of Improbable Research*, 5, 1-6.

第1章　他人の〝成功体験〟はわが子にも活かせるのか?　―データは個人の体験に勝る―

4 西内啓『統計学が最強の学問である』(ダイヤモンド社)

5 子どもの学力と読書の相関について分析した文部科学省委託研究「平成25年度全国学力・学習状況調査(きめ細かい調査)の結果を活用した学力に影響を与える要因分析に関する調査研究」(国立大学法人お茶の水女子大学)

6 「本を読めば賢くなるのか」。この章ではこの問いには直接答えていないが、これについての答えはイエスである。第2章で示されるフライヤー教授の実験の中にも、本を読むことが学力にプラスの因果効果を持つことが示されているし、フィリピンで行われた「リーダソン」(読書版マラソン)の効果測定においても同様の結果となっている。Abeberese, A. B., Kumler, T. J., & Linden, L. L. (2014). Improving reading skills by encouraging children to read in school: A randomized evaluation of the Sa Aklat Sisikat reading program in the Philippines. *Journal of Human Resources*, 49(3), 611-633を参照。

第2章　子どもを〝ご褒美〟で釣ってはいけないのか？　―科学的根拠に基づく子育て―

7　フライヤー教授が実施した米国5都市における実験の概要は、下記の文献を参照。
・Fryer, R. G. (2011). Financial incentives and student achievement: Evidence from randomized trials. *The Quarterly Journal of Economics,* 126, 1755-1798.
・Allan, B. M., & Fryer, R. G. (2011). The power and pitfalls of education incentives. Brookings Institution, Hamilton Project.
・Gneezy, U., Meier, S., & Rey-Biel, P. (2011). When and why incentives (don't) work to modify behavior. *The Journal of Economic Perspectives,* 25(4), 191-209.

8　ニューヨーク市立大のロドリゲス准教授の研究は、Rodríguez P. N. (2010). Mentoring, educational services, and economic incentives: Longer-term evidence on risky behaviors from a randomized trial. IZA Discussion Paper 4968, Institute for the Study of Labor.

9　献血についての研究は、Oakley, A., & Ashton, J. (1997). *The gift relationship: from human blood to social policy.* London School of Economics and Political Science.

10　高校生の募金についての研究は、Gneezy, U., & Rustichini, A. (2000). Pay enough or don't pay at all. *The Quarterly Journal of Economics,* 115(3), 791-810.

11　レヴィット教授らの研究は、Levitt, S. D., List, J. A., Neckermann, S., & Sadoff, S. (2011). The impact of short-term incentives on student performance. Unpublished mimeo, University of Chicago.

12　外的インセンティブに対する1つの疑問は、「インセンティブがなくなってしまった後、どうなったのか」ということである。結論からいうと、インセンティブがなくなると、学力を上昇させる因果効果は消滅してしまったことが示された。ただ、このことを過度に悲観する必要はない。幼少期の学力上昇は、大人になった後再び現れることを明らかにしている研究もあるうえ、インセンティブは持続的に学力を上昇させる効果はなかったものの、進学する子どもたちを増加させたことを明らかにしている研究もある。
13 ローゼンバーグ自尊感情尺度については、Rosenberg, M. (1965). *Society and the adolescent self-image*. Princeton, NJ: Princeton University Press.
14 バウマイスター教授らの自尊心にかんする定説を覆したサーベイ論文は、Baumeister, R. F., Campbell, J. D., Krueger, J. I., & Vohs, K. D. (2003). Does high self-esteem cause better performance, interpersonal success, happiness, or healthier lifestyles? *Psychological Science in the Public Interest*, 4(1), 1-44.
15 バウマイスター教授の近著の邦訳（渡会圭子訳）『WILLPOWER：意志力の科学』（インターシフト）
16 高校生の大規模な追跡調査の結果は、Pottebaum, S. M., Keith, T. Z., & Ehly, S. W. (1986). Is there a causal relation between self-concept and academic achievement?. *The Journal of Educational Research*, 79(3), 140-144.
17 フォーサイス教授らの論文は、Forsyth, D. R., & Kerr, N. A. (1999). Are adaptive illusions adaptive? Boston, MA: American Psychological Association.
18 ミューラー教授らの論文は、Mueller, C. M., & Dweck, C. S. (1998). Praise for intelligence can undermine children's motivation and performance. *Journal of Personality and Social Psychology*, 75(1), 33.
19 テレビが学力にもたらす因果効果はプラスであると述べているゲンコウ教授らの研究は、Gentzkow, M., & Shapiro, J. M. (2008). Preschool television viewing and adolescent test scores: Historical evidence from the Coleman study. *The Quarterly Journal of Economics*, 123(1), 279-323.
20 「セサミストリート」が子どもの学力に正の影響を与えることを示した研究は、Huston, A. C., & Wright, J. C. (1998). Television and the informational and educational needs of children. *Annals of the American Academy of Political Science*, 557, 9-23.
21 ゲームが問題行動にもたらす影響についてのクトナー教授らの研究成果は、Kutner, L., & Olson, C. K. (2008).

Grand theft childhood. The surprising truth about violent video games. Simon & Schuster, New York.

22 テレビやゲームの時間と子どもの学習時間への影響にかんする著者らの論文（図13の分析を含む）は、Nakamuro, M., Matsuoka, R., & Inui, T. (2013). More time spent on television and video games, less time spent studying? RIETI Discussion Paper Series, 13-E-095. Research Institute of Economy, Trade & Industry.

23 テレビやゲームの時間と子どもの発達、学校適応、健康への影響にかんする著者らの論文は、Nakamuro, M., Inui, T., Senoh, W., & Hiromatsu, T. (2015). Are television and video games really harmful for kids? *Contemporary Economic Policy*, 33(1), 29-43.

24 同性の教員によるかかわりの効果が高いことを示す論文は、Holmlund, H., & Sund, K. (2008). Is the gender gap in school performance affected by the sex of the teacher?. *Labour Economics*, 15(1), 37-53.

25 ホックスビィ教授の研究は、Hoxby, C. (2000). Peer effects in the classroom: Learning from gender and race variation (No. w7867). National Bureau of Economic Research.

26 ピア・エフェクトのプラスの効果を示した米国以外の研究：

・欧州6カ国:Ammermueller, A. & Pischke, J. (2009). Peer effects in European primary schools: Evidence from the progress in international reading literacy study, *Journal of Labor Economics*, 27(3), 315-348.

・チリ:McEwan, P. J. (2003). Peer effects on student achievement: Evidence from Chile. *Economics of Education Review*, 22(2), 131-141.

・中国:Carman, K. G., & Zhang, L. (2012). Classroom peer effects and academic achievement: Evidence from a Chinese middle school. *China Economic Review*, 23(2), 223-237.

27 スウェーデンの高校で、学力の高い同級生の存在が他の生徒の進学意欲を減退させたことを明らかにした研究は、Jonsson, J. O., & Mood, C. (2008). Choice by contrast in Swedish schools: How peers' achievement affects educational choice. *Social Forces*, 87(2), 741-765.

28 フィグリオ教授の研究はFiglio, D. N. (2007). Boys named Sue: Disruptive children and their peers. *Education*, 2(4), 376-394.

29 親から虐待を受けた子どもがいる学級では同級生の学力が低くなる研究は、Carrell, S. E., & Hoekstra, M. L. (2010). Externalities in the classroom: How children exposed to domestic violence affect everyone's kids. *American Economic Journal: Applied Economics*, 2(1), 211-228.

30 大学生の飲酒行動にかんするダンカン教授らの研究は、Duncan, G. J., Boisjoly, J., Kremer, M., Levy, D. M., & Eccles, J. (2005). Peer effects in drug use and sex among college students, *Journal of Abnormal Child Psychology*, 33(3), 375-85.

31 習熟度別学級にかんするケニアの実験は、Duflo, E., Dupas, P., & Kremer, M. (2011). Peer Effects, Teacher Incentives, and the Impact of Tracking: Evidence from a Randomized Evaluation in Kenya. National Bureau of Economic Research.

32 ハヌシェク教授の研究は、Hanushek, E. A. (2006). Does educational tracking affect performance and inequality? Differences-in-differences evidence across countries. *The Economic Journal*, 116(510), 63-76.

33 日本のデータを用いて習熟度別学級の効果を検証した新潟大学の北條准教授は、TIMSSのデータを用いて、習熟度別学級と中学生の学力には正の相関関係が確認されたことを明らかにしている。しかし、北條准教授は、同研究の中で、中学生とは異なり、習熟度別学級と小学生の学力との間には相関関係が確認されないこと、この研究の中で示されたのはあくまで相関関係であり、因果関係ではないことを述べている。今後、日本における習熟度別学級の効果については、さらなる検証が必要だと考えられる。北條准教授の研究は、「学力の決定要因―経済学の視点から」(2011)『日本労働研究雑誌』614, 16-27.

34 「新たなチャンスへの引っ越し」にかんする研究は、Kling, J. R., Ludwig, J., & Katz, L. F. (2005). Neighborhood effects on crime for female and male youth: Evidence from a randomized housing voucher experiment. *The*

Quarterly Journal of Economics, 120(1), 87-130.

35 英国で行われた公営住宅の取り壊しなどの自然実験的な環境を利用した研究は、Gibbons, S., Silva, O., & Weinhardt, F. (2013). Everybody needs good neighbours? Evidence from students' outcomes in England. *Economic Journal*, 123(571), 831-874.

36 ベッカー教授の人的資本論は、Becker, G. S. (1964). Human capital theory. Columbia, New York. を参照。

37 教育にかんするヘックマン教授の主要業績については、下記にまとめられている。

- Heckman, J. J., & Mosso, S. (2014). The economics of human development and social mobility (No. w19925). National Bureau of Economic Research.
- Heckman, J. J., & Krueger, A. B. (2005). *Inequality in America: What role for human capital policies?* MIT Press Books.

38 ペリー幼稚園プログラムについて、ヘックマン教授にはあまたの業績があるが、左記のような論文が有名である。とくに、2006年の論文は、世界でもっとも権威のある学術誌であるサイエンス誌に掲載されたものである。

- Heckman, J. J. (2006). Skill formation and the economics of investing in disadvantaged children. *Science*, 312(5782), 1900-1902.
- Heckman, J. J., Moon, S. H., Pinto, R., Savelyev, P. A., & Yavitz, A. (2010). The rate of return to the HighScope Perry Preschool Program. *Journal of Public Economics*, 94(1), 114-128.
- Heckman, J., Moon, S. H., Pinto, R., Savelyev, P., & Yavitz, A. (2010). Analyzing social experiments as implemented: A reexamination of the evidence from the High-Scope Perry Preschool Program. *Quantitative Economics*, 1(1), 1-46.

39 ヘックマン教授の業績について、一般にわかりやすい日本語文献としては下記のようなものがある。

- 大竹文雄（2008）「就学前教育の投資効果からみた幼児教育の意義―就学前教育が貧困の連鎖を絶つ鍵となる―」

BERD, 16
・広野彩子「『5歳までのしつけや環境が、人生を決める』―ノーベル経済学者、ジェームズ・ヘックマン教授に聞く」日経ビジネスオンライン（２０１４年11月17日）
・経済産業研究所「ノーベル賞経済学者ジェームズ・ヘックマン教授「能力の創造」」

40　長期的なペリー幼稚園プログラムの効果を推計した研究は、Schweinhart, L. J., Montie, J., Xiang, Z., Barnett, W. S., Belfield, C. R., & Nores, M. (2005). *Lifetime effects: the High/Scope Perry Preschool study through age 40.* Ypsilanti: High/Scope Press.

41　ペリー幼稚園プログラムの社会収益率の推計は前出のHeckman, J. J., Moon, S. H., Pinto, R., Savelyev, P. A., & Yavitz, A. (2010). The rate of return to the HighScope Perry Preschool Program. *Journal of Public Economics*, 94(1), 114-128や、Barnett, W. S. (1996). *Lives in the Balance: Age-27 Benefit-Cost Analysis of the High/Scope Perry Preschool Program.* Monographs of the High/Scope Educational Research Foundation, Number Eleven. Monograph Series, High/Scope Foundationなどを参照。

42　ペリー幼稚園プログラム以外にも、米国ではさまざまな就学前教育プログラムが実施されている。たとえば、カリフォルニアの「ＡＢＣプログラム」と呼ばれる就学前教育プログラムは、ペリー幼稚園プログラムよりもさらに月齢の低い子どもたちを対象にして行われた。ＡＢＣプログラムも実験によって効果測定が行われており、ペリー幼稚園プログラムと似た結果が得られている。しかし、全米で実施されている「ヘッドスタート」と呼ばれる就学前教育支援プログラムの効果は芳しくない。同じく実験によってヘッドスタートの効果測定にあたったコロンビア大学のカリー教授は、ヘッドスタートの効果は「限定的」であると結論づけている。この理由は、ヘッドスタートは、予算の制約から、質の高い幼児教育を提供することができていなかったことにあるという見方が主流となっている。たとえば、ペリー幼稚園プログラムでは、幼稚園の先生は修士号を保有した専門家だったのに対し、ヘッドスタートでは大卒以上の学歴の保育士は30％未満にとどまっていた。また、ペリー幼稚園プログラムやＡＢＣプログラムで行われた定期的な家庭訪問や面談も行われなかった。

43 ノーベル経済学賞の最右翼とみなされているリスト教授らが、就学前教育プログラムにかんする研究を始めている。米国イリノイ州のシカゴの貧困層の居住地域に、なんと実験用の幼稚園を作った。リスト教授らは、対象者をランダムに3つのグループに分けている。1つ目は、リスト教授らが新しく設立した幼稚園に無償で通うことのできるグループ。2つ目は、子どもは幼稚園に通うことはできないが、保護者が「保護者のための学校（Parenting Academy）」と呼ばれる学校で授業を受講し、子どもの発達度合いに応じて年間最大7000ドル（約70万円）の金銭的な報酬を受け取ることができるグループ（＝処置群）。3つ目はその両方が受けられないグループ（＝対照群）。リスト教授らの幼稚園は2園あり、ひとつの幼稚園では非認知能力を伸長させるための教育に重きが置かれている一方で、もうひとつの幼稚園では認知能力を伸長させるための教育に重きが置かれている。彼らはこのふたつの幼稚園での教育課程の違いが、子どもたちのその後の人生にどのような影響を与えるのかを、子どもたちが大人になるまで追跡調査を行い、「認知能力」と「非認知能力」のどちらがどれだけ大事なのかということを明らかにしようとしているのである。また、「保護者のための学校」では、保護者に子どもの成長の過程でより積極的にコミットするインセンティブを与え、保護者が果たす役割を明らかにしようとしている。この研究は、ウリ・ニーズィー／ジョン・リスト『その問題、経済学で解決できます。』（東洋経済新報社）でも紹介されている。

第3章 〝勉強〟は本当にそんなに大切なのか？ ―人生の成功に重要な非認知能力―

44 ペリー幼稚園プログラムが認知能力に与えた影響は、Heckman, J. J., Pinto, R., & Savelyev, P. A. (2013). Understanding the mechanisms through which an influential early childhood program boosted adult outcomes. *The American Economic Review*, 103(6), 2052-2086.

45 非認知能力については、Gutman, L. M., & Schoon, I. (2013). The impact of non-cognitive skills on outcomes for young people. Education Endowment Foundation.

46 非認知能力の計測については、Borghans, L., Duckworth, A. L., Heckman, J. J., & Ter Weel, B. (2008). The economics and psychology of personality traits. *Journal of Human Resources*, 43(4), 972-1059. や、Almlund, M., Duckworth, A. L., Heckman, J. J., & Kautz, T. D. (2011). Personality psychology and economics (No. w16822). National Bureau of Economic Research に詳しい。

47 ヘックマン教授の一般教育修了検定（GED）にかんする業績は、Heckman, J. J., Humphries, J. E., & Kautz, T. (Eds.). (2014). *The Myth of Achievement Tests: The GED and the Role of Character in American Life*. University of Chicago Press.

48 ボーウェン教授らの研究は、Bowen, W. G., Chingos, M. M., & McPherson, M. S. (2009). *Crossing the finish line: Completing collage at America's public universities*. Princeton University Press.

49 ミシェル教授の「マシュマロ実験」についてはMischel, W., Ebbesen, E. B., & Raskoff Zeiss, A. (1972). Cognitive and attentional mechanisms in delay of gratification. *Journal of Personality and Social Psychology*, 21(2), 204.

50 ダックワース准教授らが「やり抜く力」を定義した論文は、Duckworth, A. L., Peterson, C., Matthews, M. D., & Kelly, D. R. (2007). Grit: perseverance and passion for long-term goals. *Journal of Personality and Social Psychology*, 92(6), 1087.

51 背筋を伸ばすことで自制心が鍛えられたことを明らかにした研究は、Muraven, M., Baumeister, R. F., & Tice, D. M. (1999). Longitudinal improvement of self-regulation through practice: Building self-control strength through repeated exercise. *The Journal of Social Psychology*, 139(4), 446-457.

52 細かく計画を立てることが学力に与える因果効果にかんする研究は、Bandura, A., & Schunk, D. H. (1981). Cultivating competence, self-efficacy, and intrinsic interest through proximal self-motivation. *Journal of Personality and Social Psychology*, 41(3), 586.

53 ドゥエック教授の近著の邦訳（今西康子訳）『「やればできる!」の研究―能力を開花させるマインドセットの力』

（草思社）
54 「年齢とともに記憶力が悪くなる」というステレオタイプの脅威にかんする論文は、Hess, T. M., Auman, C., Colcombe, S. J., & Rahhal, T. A. (2003). The impact of stereotype threat on age differences in memory performance. *The Journals of Gerontology Series B: Psychological Sciences and Social Sciences*, 58(1), 3-P11.
55 「社会的な身分が低いと成功できない」というステレオタイプの脅威にかんする論文は、Hoff, K., & Pandey, P. (2006). Discrimination, social identity, and durable inequalities. *The American Economic Review*, 96(2), 206-211.
56 リクルートワークス研究所の戸田氏らの研究は、戸田淳仁・鶴光太郎・久米功一（2014）「幼少期の家庭環境、非認知能力が学歴、雇用形態、賃金に与える影響」RIETI Discussion Paper, 14-J-019. 経済産業研究所。
57 明治学院大学の李専任講師らの研究は、Lee, S. & Ohtake, F. (2014). The effect of personality traits and behavioral characteristics on schooling, earning, and career promotion. RIETI Discussion Paper, 14-E-023. Research Institute of Economy, Trade & Industry.
58 西村教授らの研究は、西村和雄・平田純一・八木匡・浦坂純子（2014）「基本的モラルと社会的成功」RIETI Discussion Paper, 14-J-011. 経済産業研究所。
59 窪田准教授らの研究は、窪田康平・大垣昌夫（2013）「勤勉さの文化伝達―親のしつけと世界観」Discussion Paper, 868, 大阪大学社会経済研究所
60 池田教授の著書は、池田新介『自滅する選択』（東洋経済新報社、２０１２年、第55回日経・経済図書文化賞受賞）
61 サービスラーニングの有効性については、Gutman, L. M., & Schoon, I. (2013). The impact of non-cognitive skills on outcomes for young people. Education Endowment Foundationを参照。

第４章 〝少人数学級〟には効果があるのか？ ―科学的根拠（エビデンス）なき日本の教育政策―

62 グラス・スミス曲線については、Glass, G. V. (1992). Class size. *Encyclopedia of Educational Research*, 164-166.

63　テネシー州の少人数学級にかんする効果測定については、Krueger, A. B., & Whitmore, D. M. (2001). The effect of attending a small class in the early grades on college – test taking and middle school test results: Evidence from Project STAR. *The Economic Journal*, 111(468), 1-28.

64　アビジット・V・バナジー／エスター・デュフロ（山形浩生訳）『貧乏人の経済学―もういちど貧困問題を根っこから考える』（みすず書房）。また貧困アクションラボの研究活動については、貧困アクションラボのウェブサイト（http://www.povertyactionlab.org/）に詳しい。

65　教育分野における実験については、Kremer, M. (2003). Randomized evaluations of educational programs in developing countries: Some lessons. *The American Economic Review*, 93(2), 102-106にも詳しい。

66　また、開発途上国で行われた教育にかんする実験については、京都大学の高野准教授による、「実践開発経済学：教育の収益率と教育改善政策の効果」（『経済セミナー』、２０１４年12／15年１月号、日本評論社）にも詳しい。

67　マダガスカルにおける実験は、Nguyen, T. (2008). Information, role models and perceived returns to education: Experimental evidence from Madagascar. mimeo.

68　ドミニカ共和国におけるものは、Jensen, R. (2010). The (perceived) returns to education and the demand for schooling. *The Quarterly Journal of Economics*, 125(2), 515-548.

69　ヘックマン教授らの推計は、Heckman, J. J., & Krueger, A. B. (2005). *Inequality in America: What role for human capital policies?* MIT Press Books.

70　少人数学級に関する赤林教授らの研究は、Akabayashi, H., & Nakamura, R. (2014). Can small class policy close the gap? An empirical analysis of class size effects in Japan. *Japanese Economic Review*, 65(3), 253-281.

71　北條准教授らの研究は、Hojo, M., & Oshio, T. (2012). What Factors Determine Student Performance in East Asia? New Evidence from the 2007 Trends in International Mathematics and Science Study. *Asian Economic Journal*, 26(4), 333-357.

72 著者らによる遺伝の影響を推計した論文は、Yamagata, S., Nakamuro, M. & Inui, T. (2013). Inequality of Opportunity in Japan: A behavioral genetic approach. RIETI Discussion Paper, 13-E-097. Research Institute of Economy, Trade & Industry.

73 4月生まれが早生まれよりも学歴が高いことを示す論文は、Kawaguchi, D. (2011). Actual age at school entry, educational outcomes, and earnings. *Journal of the Japanese and International Economies*, 25(2), 64-80.

74 生まれ順が学歴に因果効果を持つことを示す論文は、Vu, T. M., & Matsushige, H. (2013). Gender, sibling order, and differences in the quantity and quality of educational attainment: Evidence using Japanese twin data, OSIPP Discussion Paper, DP-2013-E-007. Osaka School of International Public Policy, Osaka University.

75 出生児体重が成績に因果効果を持つことを示す著者らの論文は、Nakamuro, M., Uzuki, Y., & Inui, T. (2013). The effects of birth weight: Does fetal origin really matter for long-run outcomes? *Economics Letters*, 121(1), 53-58.

76 北條准教授が教育生産関数を推計した論文は、北條雅一(2011)「学力の決定要因―経済学の視点から」『日本労働研究雑誌』614, 16-27.

77 北條准教授の分析に加え、『教育を経済学で考える』(日本評論社)など、教育経済学の著書が多数ある一橋大学の小塩教授らは、小塩隆士・佐野晋平・末冨芳(2009)「教育の生産関数の推定―中高一貫校の場合―」『経済分析』第182号の中で、大都市圏の中高一貫校を対象に、学校レベルの教育生産関数を推計している。その学校の大学合格実績が、その学校の生徒の学力を表していると考えて、学校の資源が生徒の学力にどのような影響を及ぼしているかを分析した結果、さまざまな学校の資源のうち、唯一、授業時間数が統計的に有意な影響を与えていることを明らかにしている。

78 『ヤバい経済学』(東洋経済新報社)にも掲載されているレヴィット教授の研究は、Jacob, B. A., & Levitt, S. D. (2003). Rotten apples: An investigation of the prevalence and predictors of teacher cheating. *The Quarterly Journal of Economics*, 118(3), 843-877.

79 川口教授の研究は、Kawaguchi, D. (2013). Fewer school days, more inequality. Hitotsubashi University Global COE Hi-Stat Discussion Paper Series, (271).

80 武内准教授らの研究は、武内真美子・中谷未里・松繁寿和（2006）「学校週5日制導入に伴う補習教育費の変化」『家計経済研究』(69),38-47.

81 子どもの学習習慣や読書習慣が親の学歴の影響を受けているという著者らの論文は、Matsuoka, R., Nakamuro, M. & Inui, T. (2013). Widening educational disparities outside of school: A longitudinal study of parental involvement and early elementary schoolchildren's learning time in Japan. RIETI Discussion Paper, 13-E-101. Research Institute of Economy, Trade & Industry および松岡亮二・中室牧子・乾友彦（2014）「縦断データを用いた文化資本相続過程の実証的検討」『教育社会学研究』第95集、89-110.

82 子どもの貧困については、国立社会保障・人口問題研究所部長の阿部彩氏による『子どもの貧困―日本の不公平を考える』（岩波新書）に詳しい。

83 開発途上国で行われた実験は、マラウィで行われた「条件付き子ども手当」（子どもの学校の出席率が一定以上になれば得られる補助金）の効果を明らかにするために行われました。同じくマラウィで行われた別の実験では、「子どもの学校の出席率が一定になれば」という条件が取り払われた「無条件の子ども手当」の効果も評価された。もし、親の資金制約が問題なのであれば、条件付きの子ども手当であっても、条件なしの子ども手当であっても、子どもの学力を改善する効果を持つはずである。しかし、現実には、条件付きの子ども手当は子どもの学力を改善したのに、条件なしの子ども手当では子どもの学力が改善しなかった。このことから、貧困の世代間連鎖を断ち切るために、親への所得移転は必ずしも有効ではないかもしれないという議論がある。Baird, S., & McIntosh, C. (2011). Cash or condition? Evidence from a cash transfer experiment. *The Quarterly Journal of Economics*, 126(4), 1709-1753.

84 伊藤准教授らの研究は、Ito, T., Kubota, K., & Ohtake, F. The hidden curriculum and social preferences. RIETI

Discussion Paper, 14-E-024. Research Institute of Economy, Trade & Industry.
85 大竹教授が引用した苅谷教授の著書は、苅谷剛彦『大衆教育社会のゆくえ：学歴主義と平等神話の戦後史』（中公新書）
86 トーガーソン教授の指摘は、トーガーソンD・J／トーガーソンC.J.（原田隆之・大島巌・津富宏・上別府圭子監訳）『ランダム化比較試験（RCT）の設計：ヒューマンサービス、社会科学領域における活用のために』（日本評論社）を参照。

第5章 〃いい先生〃とはどんな先生なのか？ —日本の教育に欠けている教員の「質」という概念—

87 ハヌシェク教授の教員の質にかんする研究は、Hanushek, E. A. (2011). The economic value of higher teacher quality. *Economics of Education Review*, 30(3), 466-479.
88 ハマーメッシュ教授らの研究は、Hamermesh, D. S., & Parker, A. (2005). Beauty in the classroom: Instructors' pulchritude and putative pedagogical productivity. *Economics of Education Review*, 24(4), 369-376.
89 チェティ教授らの論文は、Chetty, R., Friedman, J. N., & Rockoff, J. E. (2014). Measuring the impacts of teachers I: Evaluating bias in teacher value-added estimates. *The American Economic Review*, 104(9), 2593-2632およびChetty, R., Friedman, J. N., & Rockoff, J. E. (2014). Measuring the impacts of teachers II: Teacher value-added and student outcomes in adulthood. *The American Economic Review*, 104(9), 2633-2679.
90 いくつかの研究には、成果主義が教員の質を上げると報告しているものもある。イスラエルの高校生のデータを用いたヘブライ大学のレヴィ教授の研究や、米国の国勢調査のデータを用いたスタンフォード大学のロエブ教授らの論文は有名。開発途上国で行われた実験では、教員の評価と給与を連動させることによって、子どもたちの学力の改善に成功したことが示されている。レヴィ教授の研究は、Lavy, V. (2007). Using performance-based pay to improve the quality of teachers. *The Future of Children*, 17(1), 87-109. ロエブ教授らの研究は、Loeb, S., & Page,

M. E. (2000). Examining the link between teacher wages and student outcomes: The importance of alternative labor market opportunities and non-pecuniary variation. *Review of Economics and Statistics*, 82(3), 393-408.

91 POINT実験については、Springer, M. G., Ballou, D., Hamilton, L., Le, V. N., Lockwood, J. R., McCaffrey, D. F., & Stecher, B. M. (2011). *Teacher pay for performance: Experimental evidence from the project on incentives in teaching (POINT)*. Society for Research on Educational Effectiveness.

92 教員研修が教員の質に与える因果効果を明らかにした研究は多くはないものの、１９９０年代に行われた研究はどちらかといえば、教員研修が教員の質に与える因果効果は小さいながらもプラスであるという結果のものが主流であった。また開発途上国における研究でも、同様に教員研修の効果が明らかになっているものがある。ＭＩＴのアングリスト教授らが、イスラエル東部に位置するエルサレムの小学校で米国式の教授法についての研修を調査した結果、教員の質を大きく改善したことに加え、少人数学級や放課後学習よりもコストも安かったことを報告している。アングリスト教授らの研究は、Angrist, J. D., & Lavy, V. (1998). Does teacher training affect pupil learning?. (No. w6781). National Bureau of Economic Research.

93 ジェイコブ教授らの研究は、Jacob, B. A., & Lefgren, L. (2004). The impact of teacher training on student achievement quasi-experimental evidence from school reform efforts in Chicago. *Journal of Human Resources*, 39(1), 50-79.

94 ハリス准教授らの研究は、Harris, D. N., & Sass, T. R. (2011). Teacher training, teacher quality and student achievement. *Journal of Public Economics*, 95(7), 798-812.

95 ティーチ・フォー・アメリカの成り立ちや活動については、創設者であるウェンディ・コップ（東方雅美訳）『いつか、すべての子供たちに─「ティーチ・フォー・アメリカ」とそこで私が学んだこと』（英治出版）に詳しく掲載されている。

96 デッカー教授らの研究は、Decker, P. T., Mayer, D. P., & Glazerman, S. (2004). *The effects of Teach for America on*

students: Findings from a national evaluation. University of Wisconsin-Madison, Institute for Research on Poverty.

97 ケイン教授らの研究は、Kane, T. J., Rockoff, J. E., & Staiger, D. O. (2008). What does certification tell us about teacher effectiveness? Evidence from New York City. *Economics of Education Review*, 27(6), 615-631.

補論：なぜ、教育に実験が必要なのか

98 教育の因果効果を明らかにする方法は、実験だけではないものの、本書では扱っていない。実験以外の方法を用いて因果効果の推定をするのは、非常に高度な計量経済学の知識と技術を必要とするからである。とても本書の中で説明しきれるものではないので、因果推論と呼ばれる分野について、もっと詳しく知りたい読者は、森田果著『実証分析入門』（日本評論社）、星野崇宏著『調査観察データの統計科学―因果推論・選択バイアス・データ融合』（岩波書店）、ヨシュア・アングリスト／ヨーン・シュテファン・ピスケ著（大森義明・小原美紀・田中隆一・野口晴子訳）『「ほとんど無害」な計量経済学―応用経済学のための実証分析ガイド』（ＮＴＴ出版）を通読されることをおすすめする。

99 トッド教授らの研究は、Todd, P. E., & Wolpin, K. I. (2006). Assessing the impact of a school subsidy program in Mexico: Using a social experiment to validate a dynamic behavioral model of child schooling and fertility. *The American Economic Review*, 96(5), 1384-1417.

ディスカヴァー携書 250

「学力」の経済学

発行日　2024年6月29日　第1刷
　　　　2024年7月17日　第2刷

Author　中室牧子

Book Designer　竹内雄二

Publication　株式会社ディスカヴァー・トゥエンティワン
〒102-0093　東京都千代田区平河町2-16-1 平河町森タワー11F
TEL　03-3237-8321（代表）　03-3237-8345（営業）
FAX　03-3237-8323
https://d21.co.jp/

Publisher　谷口奈緒美
Editor　小石亜季　野村美空

Distribution Company　飯田智樹　蛯原昇　古矢薫　佐藤昌幸　青木翔平　磯部隆　井筒浩
北野風生　副島杏南　廣内悠理　松ノ下直輝　三輪真也　八木眸
山田諭志　小山怜那　千葉潤子　町田加奈子

Online Store & Rights Company　庄司知世　杉田彰子　阿知波淳平　大﨑双葉　近江花渚　滝口景太郎
田山礼真　徳間凜太郎　古川菜津子　鈴木雄大　高原未来子
藤井多穂子　厚見アレックス太郎　金野美穂　陳玟萱　松浦麻恵

Product Management Company　大山聡子　大竹朝子　藤田浩芳　三谷祐一　千葉正幸　中島俊平
青木涼馬　伊東佑真　榎本明日香　大田原恵美　小石亜季　舘瑞恵
西川なつか　野﨑竜海　野中保奈美　野村美空　橋本莉奈　林秀樹
原典宏　星野悠果　牧野類　村尾純司　元木優子　安永姫菜
浅野目七重　神日登美　波塚みなみ　林佳菜

Digital Solution & Production Company　大星多聞　小野航平　馮東平　森谷真一　宇賀神実　津野主揮
林秀規　福田章平

Headquarters　川島理　小関勝則　田中亜紀　山中麻吏　井上竜之介　奥田千晶
小田木もも　佐藤淳基　仙田彩歌　中西花　福永友紀　俵敬子
斎藤悠人　宮下祥子　池田望　石橋佐知子　伊藤香　伊藤由美
鈴木洋子　藤井かおり　丸山香織

DTP　株式会社RUHIA
Printing　共同印刷株式会社

ISBN978-4-7993-3057-9
GAKURYOKU NO KEIZAIGAKU by Makiko Nakamuro

携書ロゴ：長坂勇司
携書フォーマット：石間淳